AN NOLLAIG THIAR

Poolbeg
Knocksedan
Sórd Cholmcille
Co Bhaile Átha Cliath
Éire

ISBN 1 85371 044 X

Clúdach agus Léaraidí: Nicky Hayden
Clóchur: Printe Forme
Baile Átha Cliath 9
Arna chlóbhualadh ag Guernsey Press
Vale Guernsey Channel Islands

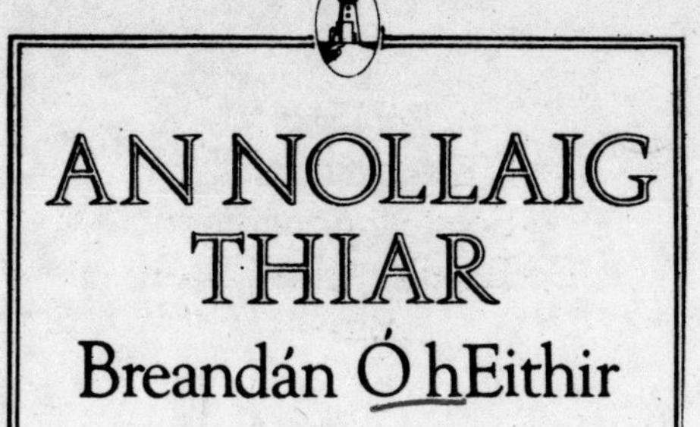
AN NOLLAIG
THIAR
Breandán Ó hEithir

Do Mháirín agus do Mhairéad
agus i gcuimhne Éanna

Cuireadh do Mhuire

An eol duit, a Mhuire,
Cá rachair i mbliana
Ag iarraidh foscaidh
Do do Leanbh Naofa,
Tráth a bhfuil gach doras
Dúnta Ina éadan
Ag fuath is uabhar
An chine dhaonna?

Deonaigh glacadh
Le cuireadh uaimse
Go hoileán mara
San Iarthar cianda:
Beidh coinnle geala
I ngach fuinneog lasta
Is tine mhóna
Ar theallach adhainte.

Máirtín Ó Direáin
Nollaig 1942

(le caoinchead Niamh Ní Dhireáin Sheridan)

Clár

1
Sa Ghearmáin

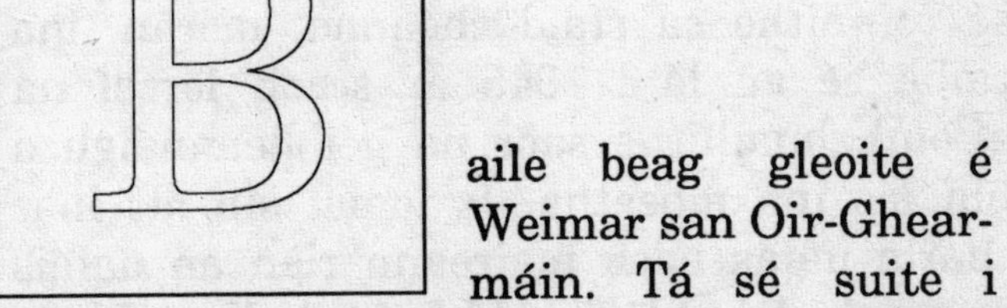

Baile beag gleoite é Weimar san Oir-Ghearmáin. Tá sé suite i ndeisceart na tíre, idir Erfurt agus Jena. Tá go leor áiteanna stairiúla ar an mbaile féin, go háirithe an teach inar chónaigh an mórscríbhneoir, Goethe. Níl campa géibhinn Buchenwald ach turas fiche nóiméad ar bhus ó Weimar agus shocraigh mé dul ann go luath an chéad mhaidin mar bhí baol ann go bhfaigheadh mo chol le hiarsma an uafáis an ceann is fearr ar m'fhiosracht. Lá gruama, ceomhar i dtús mhí na Nollag 1985, a thógas an bus go Buchenwald i gcomhluadar scata daltaí meánscoile a bhí faoi chúram a múinteora: bean mhór chrosta nár stad de bheith ag fógairt orthu a bheith ciúin, ómósach.

"Ní chun na hamharclainne atá sibh ag dul,

a rudaí míbhéasacha," a deireadh sí, nuair a théadh an gleo thar fulaingt. "Táimid ar oilithreacht chun na háite inar mharaigh na Faisistigh na mílte."

Bheadh Buchenwald duairc lá gréine i lár an tsamhraidh agus ní mholfainn do dhuine neirbhíseach ar bith cuairt a thabhairt air. Tá sé coinnithe sa staid chéanna, mórán, ina raibh sé an lá i 1945 ar scaoil fórsaí na gComhghuaillithe saor na géibheannaigh a bhí fós ina mbeatha. Is iomaí sin áit inar tharla uafás nach maireann rian an uafáis ann, ach shamhlófá go bhfuil boladh an bháis le fáil in aer an ollchampa seo. Murach comhluadar callánach na ndaltaí meánscoile agus iarrachtaí feargacha an mhúinteora iad a chiúnú, ní fhanfainn chomh fada san áit agus a d'fhanas. Bhíos cúramach fanacht ina n-aice ar feadh an ama. Bhíos eaglach a bheith i m'aonar i measc na gcillíní bídeacha inar chaith oiread sin daoine a n-uaireanta deireanacha ar an saol seo ina n-aonar.

Thaistil mé ar ais go Weimar ina gcomhluadar freisin. Bhí an ceo iompaithe ina bháisteach faoi seo agus an múinteoir chomh tuirsithe dá cúram gur thosaigh sí ag caint liomsa, an t-aon phaisinéir eile seachas iad a bhí ar an mbus. Dúirt sí nár thuig go leor den aos óg méid an uafáis a tharla sna campaí.

Theastaigh ón stát go mbuanófaí an chuid sin den stair in intinn an aosa óig agus b'in an chúis go dtugtaí ranganna ar cuairt chuig pé campa ba ghaire dá scoil. D'fhiafraigh mé di ar mheas sí go raibh toradh fónta ar na turasanna seo. Bhí mo cheist beagán mí-ionraic mar gheall ar a raibh feicthe agam agus anois bhí na scoláirí ag canadh amhráin agus cuid acu, go háirithe na cailíní, ag síneadh toitíní ó dhuine go duine.

"Tá sé dian," a dúirt sí, "Tá siad millte ag popcheol an iarthair agus ag cláracha Meiriceánacha a fheiceann siad ar theilifís na hIar-Ghearmáine. Déanaim mo dhícheall ach ..." Chaith sí a lámha san aer agus thosaigh ag béicíl in athuair. Faoin am ar shroicheamar Weimar bhíos féin in ísle brí chomh mór agus a bhí sise, ach ar chúis eile.

Naoi mbliana d'aois a bhíos nuair a thosaigh an dara cogadh domhanda agus chuireas spéis mhór ann. Bhí deireadh leis sular chualamar aon fhocal i dtaobh champaí an uafáis: Belsen, Dachau, Buchenwald agus an chuid eile acu. Le linn don chogadh a bheith ar siúl cheapas gur mhór an spórt é ach anois, tar éis dom Buchenwald a shiúl sa gceo(agus Dachau roinnt blianta roimhe sin), ba é mo mhian an t-uafás a dhíbirt chuig cúl na cuimhne.

Ní raibh fonn orm filleadh ar aonraiceas mo sheomra in óstlann an Elephant. Theastaigh comhluadar uaim, chomh maith le bia agus deoch. Sheas mé ag bialann bheag ar Chearnóg an Mhargaidh agus scrúdaigh an biachlár. Iasc ba mhó a bhí air agus rinne mé íontas arís eile den dúil in iasc atá chomh follasach sin i gcroílár na Mór-Roinne agus a laghad dúile atá ann ar an oileán mara s'againne. Ansin rith sé liom nár ith mé carbán riamh. Isteach liom agus shuigh ag an aon bhord do bheirt a bhí saor.

Níorbh fhada i m'aonar mé. Tá ganntan mór bialann san Oir-Ghearmáin, de bharr pholasaí an stáit faoi shealúchas agus fhiontair phríobháideacha, agus ní hannamh scuainí ag feitheamh ar bhoird. Measann cuairteoirí uaireanta gur ganntan bia is ciontaí leis seo. Is é fírinne an scéil go n-itheann formhór na ndaoine i bhfad an iomarca bia, go háirithe bia stailceach. Is mór idir na gnáth-Oir-Ghearmánaigh chothaithe, faoi fhonsaí feola, agus na lúthchleasaithe seanga a bhíonn le feiceáil ag buachan bonn don stát sin sna Cluichí Oilimpeacha.

Bhí áthas ar an seanfhear an suíochán

deireanach a fháil. Thuigeas láithreach nach mbeadh aon cheal comhrá orm. Bhí scéal le hinsint aige agus gan uaidh ach éisteacht. Nuair a fuair sé amach gur eachtrannach as Éirinn a bhí aige threisigh ar a fhonn cainte.

San Oir-Ghearmáin is minic daoine faiteach ag labhairt le cuairteoirí ón Iarthar, go speisialta in áiteanna poiblí, ar fhaitíos go dteastódh ón gcuairteoir labhairt ar chúrsaí polaitíochta. Ach de bhrí go bhfuil saorchead taistil chun an Iarthair ag pinsinéirí, rud nach bhfuil ag an gcuid is óige den phobal, ní bhíonn leisce ar bith orthu labhairt i dtaobh an chóras polaitíochta agus é a cháineadh. B'in díreach an fonn a bhí ar mo sheanfhear.

D'oscail sé mála leathair cáipéisí den sórt a iompraíonn go leor Gearmánach, thoir agus thiar, agus thóg amach beartán beag a bhí cumhdaithe i bpáipéar donn. Bhain sé de an páipéar agus shín chugam bloc más muiceola deataithe, earra a bhfuil an-tóir air ar Mhór-Roinn na hEorpa.

"An bhfeiceann tú é sin?" a deir sé. "Chuaigh mé síos go Jena ar maidin go moch. Is cuma liom ar bhealach. Tá cead taistil in aisce agam agus ní hé an oiread sin a dhéanaim ar aon nós. Ach chuaigh mé ann mar gur chuala mé go raibh muiceoil deataithe fairsing ann, rud nach bhfuil ar an mbaile seo. Sin a bhfuil agam de bharr mo thurais agus an t-ádh liom an méid sin féin a fháil. Agus is cuimhneach liomsa an t-am a mbíodh spólaí móra de crochta i ngach siopa bia timpeall na cearnóige sin amuigh. Sin é an sóisialachas duit. Leathlae taistil agus gan dá bharr ach an ruainnín suarach sin."

Ar nós go leor seandaoine níor bhac mo chompánach lena ghuth a ísliú i láthair comhluadair agus ó bhí formhór na ndaoine sa mbialann dá sacadh féin, bhí a chuid cainte le cloisteáil i ngach ball. Níos measa fós, chomh fada agus a bhain liomsa, ba ríléir ar mo chuid Gearmáinise gurbh eachtrannach mé. I gcás den sórt sa tír amhrasach úd, cé nach bhfuil ciall ná réasún leis, samhlaítear dom uaireanta go bhféadfadh duine de na fir sna cótaí móra leathair agus na hataí fairsinge, siúl isteach an doras agus cur i mo leith gur agent provocateur de chuid an CIA mé. Mar sin chuir mé cor sa gcomhrá agus dúirt gur iasc saillte le hanlann geal oinniún a bhíodh againn ar an gcéad suipéar oíche Nollag in Árainn.

Mhínigh mé dó roimhe sin, le mórán deacrachta agus tarraingt drochmhapaí, gur ar oileáinín ba lú arís ná Éire a rugadh agus a tógadh mé.

"Nach aisteach an rud é sin," arsa an seanfhear, ag ligean na feola deataithe i ndearmad ar feadh tamaill, "Sin mar a bhíodh againne freisin. An t-iasc sin atá á ithe agat, carbán úr, agus anlann geal oinniún agus fataí agus turnapaí bána—béile geal ar phlátaí geala agus ar éadach boird geal. B'in mar a bhíodh againn anseo freisin nuair a bhí mé óg agus sular thosaigh an gealtachas."

Shuíomar ansin sa mbialann i Weimar ag cur síos ar an Nollaig thoir agus ar nósanna na Nollag thiar ar imeall na Mór-Roinne.

2

Árainn

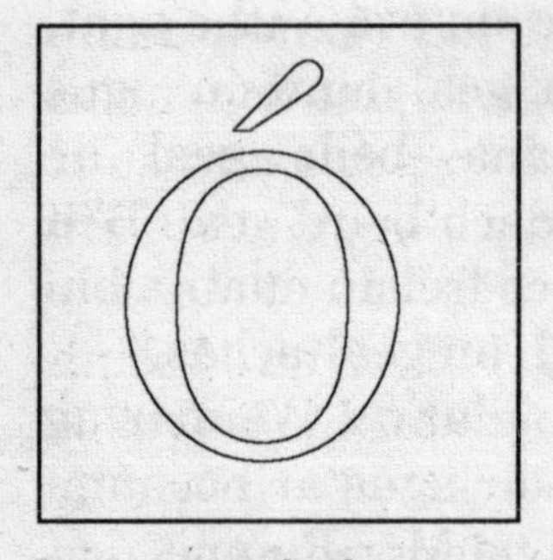

Ón uair a tháinig cuimhne chugam go rabhas deich mbliana ba sa teach deireanach i mbaile Chill Rónáin, in Inis Mór, a bhí cónaí orm. Ba é seo teach an mhúinteora: an residence, mar a thugtaí air féin agus na trí cinn eile mar é a bhí ar an oileán. B'ann a d'fheiceadh daoine go mbíodh a n-aghaidh siar tríd an oileán oícheanta geimhridh, an solas deireanach go sroichidís Eochaill: míle bóthair in aghaidh an aird, a bhí thar a bheith uaigneach sna blianta sular tógadh na tithe atá go fairsing ar gach taobh de anois.

Dá mba fúm féin a d'fhágfaí roghnú mo thuismitheoirí, ní móide gur beirt mhúinteoirí a roghnóinn. Rud amháin múinteoirí a bheith agat ar scoil: rud eile ar fad iad a bheith agat sa mbaile freisin. Níor chuir sé seo isteach orm go dtí go rabhas breis agus cúig bliana, mar san am úd ní chuirtí páistí ar scoil chomh hóg agus a chuirtear anois. Cailíní, go raibh a bhformhór ag fanacht leis na páipéirí a thabharfadh go Meiriceá iad (mar a raibh gaolta go leor acu), a thugadh aire dom i rith an lae, go dtí go raibh sé in am agam suí i measc na naíonán i Scoil Náisiúnta Chill Rónáin.

Sna blianta úd thagadh cuid de na soithigh mhóra paisinéirí isteach go Gaillimh. Bhí sé aisteach a bheith ag breathnú orthu ag seoladh amach an cuan go Meiriceá agus an té a bhí ag tabhairt aire duit tamall gearr roimhe sin ar bord. Bhíodh sé crua ar thuismitheoirí, a raibh slán fágtha acu lena gclann ar ché Chill Rónáin laethanta roimhe sin, iad a shamhlú ar bord na long a sheoladh go mall thar an oileán. An uair úd, duine ádhúil a bheadh in ann cuairt a thabhairt abhaile taobh istigh de dheich mbliana ar a luaithe. Nuair a d'fhás mé suas agus nuair a thosaigh mé ag siúl an oileáin, fuaireas amach gur Gleann na nDeor atá ar áit sa bpointe is faide thoir de, in Iaráirne, mar gur ann a chruinníodh gaolta lena n-amharc deireanach a fháil ar na báid seoil a thugadh a ndaoine muinteartha go Meiriceá san am.

Bhí tionchar na farraige le brath ar gach gné de shaol laethúil an oileáin. An chéad rud a rinne duine ar éirí dó ar maidin, féachaint uaidh amach ar an bhfarraige chuig tír mór. Soir chuig Contae an Chláir, ó dheas go Ciarraí, nuair a bhíodh Cnoc Bhréanainn le feiceáil; ó thuaidh go Conamara agus isteach an cuan áit a raibh Cathair na Gaillimhe folaithe as amharc. Siar uainn ní raibh aon talamh níos gaire ná cósta Mheiriceá. Ach de bharr imirce na mblianta ba ghaire dúinn Meiriceá, ar bhealach pearsanta, ná Baile Átha Cliath.

Ach ba í Cathair na Gaillimhe ár bpríomhchathair agus b'as Gaillimh a sheol an bád ba thábhachtaí inár saol: an "Dún Aengus". Ba í—mar bhí sí chomh baineann sa gcaint leis an bhfarraige a sheol sí—a choinnigh riachtanais na beatha le pobal trí oileán Árann, chomh maith lena dtabhairt go tír mór agus ar ais, ó 1912 go 1957. Bhí sórt beatha dá cuid féin ag an "Dún Aengus"; beatha a thuill gean an phobail di. Nuair a chuaigh sí i dtír in Inis Meáin i 1947, measadh nach seolfadh sí arís agus cumadh amhrán ina taobh. Ach cóiríodh í agus sheol sí in athuair.

Maireann páirt di fós inniu, in áit éigin sa Nigéir. Nuair a bhí sí á briseadh i longchearta i gCorcaigh, d'iarr misinéir a bhí sa mbaile ar saoire an clog mór práis a bhí feistithe dá crann. Tá sé ag gairm na bhfíréan chun urnaí ó shin, ó bhinn séipéil san Afraic.

Sheoladh sí gach Céadaoin agus Satharn i rith na bliana agus go hInis Mór ar an Domhnach freisin, i rith an tsamhraidh: Weather and other circumstances permitting, mar a thugadh an tráthchlár le fios. Sa ngeimhreadh, agus go háirithe ag tarraingt ar an Nollaig, bhíodh tábhacht ar leith leis an mbád. Níor ghá ainm dá laghad a thabhairt uirthi Céadaoin nó Satharn fiáin an taca sin bliana.

"Meastú an dtiocfaidh sí?" an cheist a sciobadh an ghaoth chun siúil as béal gach éinne a bhí ag súil le litir, le nuachtán, le hearraí de chineál ar bith nó díreach le dúil sa nuaíocht a bhain an tráth úd le lá báid.

"Má sheolann sí ní dhéanfaidh sí aon mhaith sna hoileáin," a deireadh daoine dóchasacha. Na hOileáin a thugadh muintir Inis Mór ar Inis Meáin agus Inis Oírr, taobh thoir díobh, nach raibh buntáistí cuain ná cé acu mar a bhí againne.

Bhíodh gach súil dírithe ar lár an chuain, ag iarraidh an spoitín beag dubh a aimsiú ag titim agus ag éirí sna farraigí suaite. Bhí teileascóp cumhachtach ag an bhfear a chónaigh sa teach ba ghaire dúinn i gCill Rónáin. Bhí sé tráth ina shiúinéir i gcabhlach na Breataine agus chomh luath agus a d'aimsíodh seisean an bád i measc tonnta agus farraige cháite an chuain, bhíodh an scéal againne.

"Tá sí ag teacht," a d'fhógraínn ar mhuintir an chinn thiar den oileán agus iad ag dul síos thar an ngeata s'againne.

Mná i seálta dubha a thagadh aniar sé nó seacht de mhílte de shiúl cos sa mbáisteach, ba mhó a d'fháiltíodh roimh an dea-scéal. Bhíodh na seálta fliuch báite agus boladh láidir ceamfair agus olna uathu.

"Míle buíochas le Dia," a deiridís, "Ach an bhfuil tú cinnte, a mhaicín?"

Nuair a deirinn go raibh sí feicthe ag Robert Gill chlaonaidís níos ísle fós faoi fhascadh na gclaíocha. Ní raibh dul thar breithiúnas theileascóp Robert Gill. Ba í sin gloine na fírinne, agus an fhaoisimh freisin, laethanta doininne.

Thosaídís ansin ag déanamh trua do na paisinéirí ar a mbeadh tinneas farraige; go háirithe muintir na nOileán a chaitheadh filleadh ar ais go Gaillimh mura mbeadh na curachaí in ann teacht amach chuig an mbád nuair a rachadh sí soir; dá rachadh sí soir ar chor ar bith, tar éis a gnó a bheith déanta i gcé Chill Rónáin.

"Go bhfóire Mac Dé ar na créatúir bhochta," a deiridís as béal a chéile, "Ach nach acu atá an drochlá."

Agus lá amháin chuala mé bean as Cill Mhuirbhí ag rá, "Agus an Dún Aengus bocht í féin nach dona an lá atá aici," agus ba chosúil ón éisteacht a fuair sí nárbh aisteach lena compánaigh an smaoineamh ná an chaint. Ach ansin ba bhean ar leith an bhean áirithe seo. Baintreach ba ea í agus lá dá raibh sí ag seoladh muice a bhí ramhraithe aici chun na monarcha, d'éalaigh an t-ainmhí scanraithe uaithi ar an gcé agus rinne ceann ar aghaidh ar an bhfarraige. Rug an bhaintreach ar eireaball na muice agus gan aird orthu siúd a bhí ag béicíl uirthi greim a scaoileadh, isteach léi féin agus an mhuc sa bhfarraige.

Ní rabhas féin i láthair ach thug aintín liom, a chonaic an eachtra, cuntas íontach dúinn air. Bhí sé chomh beo sin agus go samhlaítí dom go rabhas ann agus go bhfaca mé an bhean ag snámh ar uachtar an uisce, a sciorta flainín dearg dá coinneáil ar snámh, ar nós lile uisce, agus í fós i ngreim in eireaball na muice gur tugadh slán i dtír iad. Bhí sé ráite nach fada a shnámhfadh muc gan a scornach a ghearradh lena crúba gearra, géara tosaigh. Chuala mé ó shin nach bhfuil aon fhírinne sa scéal úd agus sin é ba mhaith liom a chreidiúint freisin, cé nach bhfaca mé muc ag snámh riamh.

3

Teacht na Nollag

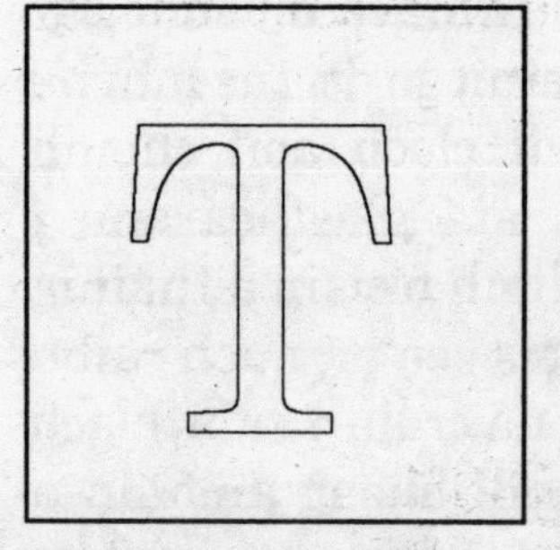

eacht na Nollag ba thábhachtaí ná riamh an "Dún Aengus" do shaol na n-oileán. Cé go raibh níos mó de ghnáthriachtanais na beatha á gcur ar fáil san áit an uair úd ná mar atá anois—go fiú snáth agus éadach—bhíomar i dtuilleamaí na Gaillimhe do chuid mhór earraí, nuachtáin, an post agus na sóláistí ar chuid riachtanach de cheiliúradh na Nollag iad.

Ach sula dtosaíodh daoine ag imní i dtaobh na haimsire a rialaigh teacht an bháid, bhíodh rudaí eile ar a n-aire. Ní raibh aon trácht in Inis Mór ar ghlantachán Earraigh. Pé cúis a bhí leis, ba sna seachtainí roimh Nollaig a dhéantaí na tithe agus a dtimpeallacht a ghlanadh agus a mhaisiú.

Nuair a chuimhním ar Nollaig m'óige anois is ar bholadh aoil is túisce a chuimhním.

Nuair a thosaíodh daoine ag cur aoil úir ar na tithe, istigh agus amuigh, agus ar na claíocha ina dtimpeall, thuig tú go raibh an Nollaig buailte leat. B'ionann é agus lasadh na soilse sráide i gcathracha na linne seo, ach nár thosaigh an maisiú in Árainn go dtí tús mhí na Nollag féin. Cé go bhfuil cloch aoil chomh fairsing in Árainn agus atá glasfhearann i gContae na Mí, b'as Gaillimh freisin a tháinig an t-aol. An chúis a bhí leis seo ná nach raibh móin ar bith sna hoileáin ná crainn ar bith ach oiread, cé is moite de choill bheag amháin a bhí timpeall an tí inar chónaigh an ministéir Protastúnach i gCill Rónáin tráth. Isteach as Conamara i mbáid seoil a thagadh an mhóin agus bhí sí i bhfad róchostasach le go ndófaí aol léi.

Níor mhór a bheith cúramach ag cur aoil. D'éiríodh sé fiuchta te nuair a chuirtí uisce air agus an braon is lú a rachadh faoi do shúil ba gheall le sampla é de na tinte síoraí a bhí in Ifreann, ar a mbíodh an sagart ag trácht i dteach an phobail. Ach ba é bua mhór an aoil go raibh an boladh a bhí air chomh húr lena chosúlacht. Ní hé amháin gur fhéach na tithe chomh glan le criostal, go háirithe na tithe ar a raibh tuí an fhómhair fós órga, ach bhí a gcumhracht le brath ar an aer ina ngaobhar.

Caitheadh cúram ar leith leis na casáin ó gheata go doras agus timpeall na dtithe. Thugtaí gaineamh geal, gairbhéal gorm nó mulláin bheaga dúirlinge, ó chladach agus ó thrá, agus chóirití na casáin seo go néata. Bhí trá bheag amháin, gar do Thobar Cholm Cille i gCill Éinne, a raibh an gaineamh a bhí ann crónbhuí, gar i gcosúlacht le siúcra donn, agus boladh láidir air. Dhéanadh sé seo togha casáin mar chruadh sé ar nós suiminte le himeacht aimsire agus de bharr greadadh cos. Ach bhí an trá seo beagán rófhada as láthair ach amháin i gcás na mbailte ba ghaire di.

I gcarranna capaill agus asail, nó i gcléibh crochta ar gach taobh de shrathar, a d'iompraítí gach uile rud ar an oileán go dtí gur tugadh isteach tarracóirí agus leoraithe ó dheireadh na gcaogaidí i leith. Rinneadar seo an saol níos éasca do dhaoine, mar a rinne an tarra a cuireadh ar na bóithre taca an ama chéanna. Roimhe sin ghearradh rothaí na gcarranna capaill, a tharraingíodh ualaí troma uaireanta, sclaigeanna doimhne sna bóithre boga agus chaitheadh rothaithe a bheith cúramach gan rith isteach i gceann acu san oíche nó bheidís i gcontúirt tuairteáil sa láib agus sna clocha scaoilte.

Ba í cé Chill Rónáin an áit ba ghnóthaí in

Inis Mór, lá báid, agus ba ghnóthaí arís í sna seachtainí díreach roimh Nollaig. Chruinníodh slua mór leis an mbád a fheiceáil ag teacht le balla. Bhíodh gnó ag cuid acu ann, ach fiosracht a thug daoine eile ann, rud a chuireadh isteach go mór ar an bhfear a bhí i gceannas na cé. Nuair a thagadh na paisinéirí i dtír agus nuair a bhíodh na málaí litreacha tugtha chuig teach an phoist, thosaíodh seisean ag rith thart agus liosta an lasta ina lámh, ag fógairt ar dhaoine fanacht as a bhealach.

Béarla is mó a labhraíodh sé, ní hamháin mar gur mheas sé gurbh fhearr a d'fheil an teanga sin do thábhacht a phoist ach de bhrí nach raibh aige ach drochGhaeilge. Bhaineadh daoine an-spraoi as an gcaoi a mbíodh sé ag sodar agus ag síorchaint, ag iarraidh súil a choinneáil ar na hearraí a chrochtaí aníos as bolg an bháid ar chrann tógála torannach gaile.

“Get out o' me way,” a deireadh sé go feargach, “Have ye nothing better to do than to be down here speckin'?”

Níor thuig an fear bocht gurbh é féin agus an taispeántas a thugadh sé a choinníodh go leor den slua ar an gcé. Ar fhaitíos go suaimhneodh sé ba ghnách le daoine mioscaiseacha ceisteanna amaideacha a chur air, nó bosca le duine éigin eile a chrochadh leo suas an ché sa gcaoi is go mbeadh ar an ngíománach iad a leanúint go feargach.

Ba é Teach an Phoist an dara láthair cruinnithe lá báid. Beirt fhear poist a bhí againn. Rinne duine díobh freastal ar Chill Rónáin agus ar Chill Éinne agus Iaráirne taobh thoir de. D'fhreastail an fear eile ar an aon bhaile dhéag a bhí ar fhad na seacht míle bóthair idir Cill Rónáin agus Bun Gabhla. Ach sula dtugaidís cuairt na mbailte, ba é an nós a bhí ann na litreacha a ghlaoch amach os ard ag an gclaí taobh amuigh de Theach an Phoist.

Chruinníodh muintir an chinn thoir den oileán timpeall a bhfir poist féin agus dhéanadh muintir an chinn thiar amhlaidh, tamall suas uaidh. Teacht na Nollag b'fhairsinge a bhíodh litreacha ó Mheiriceá. Níor dhream mór scríofa litreacha imircigh na linne sin, go háirithe na fir, ach ba bheag duine nach scríobhfadh faoi Nollaig; mura mbeadh ann ach nóta gearr i dteannta an airgid a sheoltaí i gcónaí an tráth sin bliana.

An duine corr nach bhfuair aon litir faoi Nollaig bhí údar imní aige in áit údar gáirdeachais, don fhéile. Ní hé go dtugadh daoine beaga rudaí mar sin faoi deara. Bhíodh i bhfad an iomarca airde acu ar a gcúrsaí tábhachtacha féin. Ach uaireanta chloisidís daoine móra ag déanamh trua dóibh siúd a bhí brónach faoi Nollaig.

Nuair a bhídís críochnaithe i dTeach an Phoist phlódaíodh na mná go léir, agus cuid de na fir, isteach sna siopaí. De bharr ghiorrú an lae thiteadh an oíche thar a bheith luath agus bhíodh deifir abhaile ar dhaoine, chun beithígh a bhleán agus suipéar a réiteach do pháistí. Thugtaí na hearraí aníos ón gcé faoi luas agus ansin theastaíodh gach uile rud ó gach uile dhuine lom láithreach. Aisteach go leor ní bhíodh gleo ar bith sna siopaí ach amháin nuair a thagadh fear go mbeadh cúpla deoch ólta aige isteach ag cuartú tobac faoi dheifir.

Dhéanadh na mná, ar dhá thaobh an chuntair, a gcuid gnó amhail agus dá mba ag éisteacht faoistine a bhídís. Mheasfá gur faoi rún a bhí na hearraí á n-ordú, cé go rabhadar á gcarnadh ar an gcuntar os comhair a raibh ann. Go fiú nuair a bhí airde an chuntair sroichte agam bhí an ghráin agam dul ar theachtaireacht chuig na siopaí an tráth sin den tráthnóna, an tráth sin bliana. B'fhéidir gurb é sin an fáth gur furasta dom anois an tsoncáil a d'fhaighinn a thabhairt chun cuimhne, gan trácht ar bholadh na seálta báite as a raibh gal ag éirí sa teas, measctha ar bholadh aráin úir agus ola an lampa a bhí crochta as lár na síleála os ár gcionn.

B'fhearr liom féin a bheith sa mbaile ag an tine ag léamh na bpáipéirí nuachta, de réir mar a bhíodh m'athair réidh leo. Nuair a sheoladh an bád go rialta d'fhaigheadh muid páipéirí an tSathairn, an Luain agus na Máirte, ar an gCéadaoin agus páipéirí na Céadaoine, na Déardaoine agus na hAoine ar an Satharn. Nuair a chailleadh sí lá nó dhó nó trí, rud nárbh annamh sa ngeimhreadh, mhéadaíodh an baisc páipéirí dá réir. Ó m'athair a fuair mé mo dhúil i léamh páipéirí, mar chreid mo mháthair nach raibh iontu ach cur amú ama agus bealach éalaithe ó obair fhóintiúil. Bhíos in ann léamh sula ndeachaigh mé ar scoil agus measaim gur d'fhonn a bheith in ann páipéirí a léamh a rinne mé an iarracht, le cabhair mo thuismitheoirí.

Ba de bharr a bheith ag léamh páipéirí a fuaireas amach nach raibh Deaide na Nollag ann. Bhíos thar a bheith fiosrach chomh fada siar agus a théann mo chuimhne. Rud ar bith nach raibh faoi ghlas agus an eochair faoi choinneáil, ní raibh sé saor ó m'fhiosracht. De bharr nach raibh aon ghasúr de m'aois féin i mo ghaobhar, bhínn ar mo chomhairle féin. Bhí rudaí seachas mise agus mo shíorcheistiúchán ar aire na gcailíní agus ba mhinic a dhíbrídís amach as a mbealach mé. Ba le linn dom a bheith ag cartadh amuigh i stór a bhí in aice an tí a tháinig mé ar bheartán suimiúil, tamall gearr roimh an Nollaig. Bhí sé suimiúil mar gur léir dom go raibh sé curtha i bhfolach go cúramach. D'oscail mise chomh cúramach céanna é agus céard a bheadh ann ach cuid de na rudaí a bhí iarrtha agam ar Dheaide na Nollag. Sa bhfógra mór lán-leathanaigh a bhíodh ag siopa Clery's i "Scéala Eireann" an uair úd, a chonaic mé na bréagáin. Thuig mé gach uile rud d'aon iarraidh amháin. Dhún an beartán go cúramach. Chuir i bhfolach in athuair é agus choinnigh mo rún agam féin go ceann trí bliana. Ar shlí éigin thuigeas gurbh é mo leas an t-eolas tábhachtach seo a choinneáil agam féin. B'fhéidir go gcoinneoinn mar sin ar feadh achair ab fhaide é murach an fonn a thagadh orm mo shinsearacht a chur ar a súile do mo dheirfiúr Máirín.

Bhí mise ceithre bliana d'aois nuair a rugadh Máirín agus is cuimhin liom go maith an gliondar a bhí orm ag dul síos ar an gcé roimpi féin agus mo mháthair, nuair a thángadar as Gaillimh.Níorbh fhada a mhair an gliondar. Aird dá laghad ní raibh ag m'aintín ná ag mo chol ceathracha orm. Bhíodar go léir cruinnithe timpeall na feithide seo a bhí ag scréachaíl sa gcliabhán. Níor laghdaigh a spéis inti ach oiread, b'fhacthas dom, mar in áit dul ag déanamh spraoi liomsa mar a dhéanaidís roimhe sin nuair a thagaidís ar cuairt, thógaidís Máirín as an gcliabhán agus thosaídís á peataireacht. Is furasta dom a thuiscint anois gur mise an peata, go rabhas chomh millte agus a bhí aon leanbh aonair de m'aois. Níor thuigeas san am ach go raibh mo shaol curtha as a riocht ag an éinín cantalach seo a bhí tagtha isteach i mo nead agus a d'éiligh aird de shíor. Fiú nuair a bhí sí ina codladh bhítí ag ordú dom fanacht socair agus gan a bheith ag déanamh gleo ar fhaitíos go ndúiseoinn í.

4
Máirín agus Deaide na Nollag

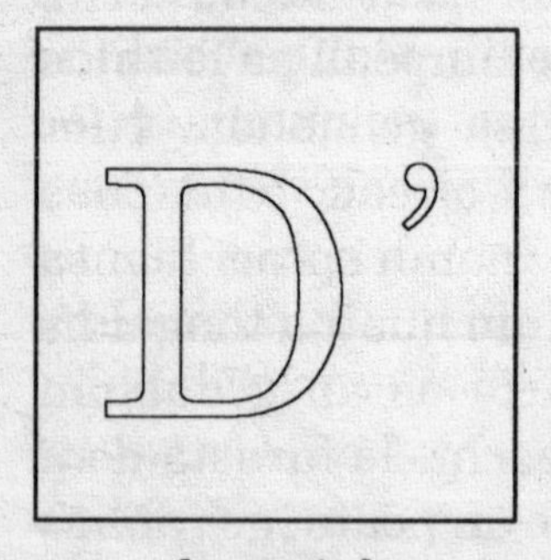

éirigh mé chomh tuirseach den gcur isteach seo ar mo shaol agus gur shocraigh mé mo dheirfiúr a mharú. Piobar an úirlis a thogh mé, ar chúis éigin nach dtuigim anois. Lá dá raibh an cailín a bhí ag tabhairt aire dúinn amuigh ag cur éadaí á dtriomú, thóg mé an pota piobair den drisiúr agus d'fholmhaigh i mullach Mháirín sa gcliabhán é. Ba ghearr go raibh údar aiféala agam. Thosaigh Máirín ag síonaíl agus ag sraothairt agus tháinig an cailín isteach faoi dheifir. Nuair a chonaic sí céard a bhí déanta agam bhagair sise mise a mharú chomh luath agus a bheadh an páiste nite agus suaimhnithe aici. Ormsa a bhí an faitíos anois. Thuigeas go rabhas imithe thar fóir agus d'impigh mé ar an gcailín gan insint do mo thuismitheoirí orm. Nuair a bhí Máirín suaimhnithe aici gheall sí dom nach n-inseodh, dá mbeinn umhal di as sin amach. Mura mbeinn, d'inseodh sí orm ar an toirt.

Mar a thit amach b'éigean di scéala a dhéanamh orm mar bhí súile Mháirín ataithe de bharr an phiobair agus theastaigh ó mo mháthair a fháil amach cén t-údar a bhí leis. Aisteach go leor, cé gur cuimhin liom gach uile rud i dtaobh na heachtra go dtí an pointe seo, níl cuimhne dá laghad agam ar céard a thit amach nuair a fuair mo mháthair amach céard a bhí déanta agam. Caithfidh sé nach raibh sé ródhona nó chuimhneoinn air.

Nuair a tháinig caint do Mháirín léirigh sí go raibh intinn dá cuid féin aici. Níor thaispeáin sí omós ar bith do na ceithre bliana a bhí agam uirthi, ná don ghaois go léir a bhí bailithe agam lena linn. Dá bharr sin a d'inis mé di, teacht na Nollag agus sinn ag caint ar bhronntanais, nach ó Dheaide na Nollag ach tríd an bpost as Baile Átha Cliath a tháinig na bronntanais. Bhí an t-eolas seo in ainm is a bheith ina rún ach níorbh fhada a d'fhan sé amhlaidh. Chuaigh sí caol díreach chuig mo mháthair agus d'fhiafraigh di an ag insint na fírinne nó ag déanamh na mbréag a bhí mise. Ba bheag nár thit an t-aer ar an talamh ina dhiaidh sin. Bhí an t-ádh liom go raibh Nollaig ar bith agam an bhliain úd.

Nuair a bhíomar óg ba bheag baint a bhí againn le réiteach faoi chomhair na Nollag. Ní dhéanaimis ach sásamh a bhaint as. D'fhéadfaí a rá, ar bhealach, gur dúinne a bhí sé ann, cé go mbaineadh daoine móra pléisiúr as freisin. Ach b'iad go cinnte a d'fhaigheadh a dhua.

Chomh luath agus a bhíodh an teach glanta thosaíodh an bhácáil. Dhéantaí na cácaí saibhre Nollag ar dtús agus chuirtí i dtaisce i mboscaí stáin iad. Bhí níos mó dúile agam féin sna hábhair lena ndéantaí iad ná sna cácaí bácáilte, maisithe. Ba ghnách liom ruathair a thabhairt faoi na boscaí ina mbíodh na rísíní, na cuiríní agus craicne criostalaithe oráistí agus líomóidí coinnithe ag mo mháthair. Bhínn cúramach mo dhúil iontu a choinneáil faoi smacht, mar bhí súile grinne ag mo mháthair agus, thairis sin, thugadh sí slámanna de na rísíní móra méithe dúinn ach iad a iarraidh go deas nuair a bhíodh aoibh mhaith uirthi. Dá mbeadh sí ag canadh amhráin di féin d'fhéadfá a bheith cinnte nach n-eiteofaí do iarratas.

Prog na Nollag a thugtaí in Inis Mór ar na hearraí go léir a cheannaíodh daoine chun an fhéile a cheiliúradh: an t-ábhar a théadh sna cácaí, milseoga den uile chineál, na coinnle idir gheal agus dearg agus mar sin de. Cheapas ar feadh na mblianta gur focal Gaeilge a bhí ann go dtí gur casadh orm i leabhar dar teideal *Manco the Peruvian Chief* é. Focal Béarla atá ann a chiallaíonn bia nó beatha, go háirithe bia a cheannófaí roimh aistear nó roimh fhéile. Seans gur máirnéalaigh a thug go hÁrainn é ach oiread le focail agus téarmaí eile a bhain leis an saol ar muir, a bhí sa gcaint laethúil.

"Tá tú ag tabhairt prog na Nollag abhaile leat, bail ó Dhia ort," a déarfaí le bean a mbeadh mála geal, lán earraí, ar a droim ag teacht ón siopa. Cé go bhfuil cuimhní taitneamhacha agam ar an Nollaig sa teach i gCill Rónáin, agus ar chuid de na bréagáin a fuaireas, níor thosaigh mé ag glacadh aon pháirt cheart sa gceiliúradh go dtí go ndeachamar chun cónaithe inár dteach féin. Bhíos tosaithe ag friotháil Aifrinn, ceart go leor,ach ar a lán bealaí ba shuimiúla an Cháisc mar fhéile ó thaobh friothála.

Ó fuaireas amach nárbh linn féin an teach ina raibh cónaí orainn, bhí fonn aisteach orm é a fhágáil. Ní foláir nó bhíos an-óg nuair a fuaireas an t-eolas sin, ach tá cuimhne agam ar an údar a bhí leis. Bhí garraí beag os comhair an tí, a bhí go hard os cionn an bhóthair, agus nuair a bhí sé á leasú le feamainn dhearg b'éigean don fhear a bhí leis an gcur a dhéanamh bearna a leagan sa gclaí chun an fheamainn a thabhairt isteach.

Bhíos féin ag breathnú amach an fhuinneog air agus thosaigh ag aithris air, ag ligean orm go rabhas ag leasú mo gharraí féin le feamainn a bhí á hiompar ag capall samhalta. Caithfidh sé gur Satharn a bhí ann mar ba í mo mháthair a tháinig orm ag tochailt poill i mballa na cistine le spáidín a bhí agam. Bhí cuid mhaith plástair bainte den bhalla nuair a tháinig mo mháthair chun cúrsaí an tsaoil a mhíniú dom, go séimh réasúnach.

Níor linne an teach ar chor ar bith ach le hArd-Easpag Thuama, seanfhear beag a bhí feicthe agam nuair a tháinig sé chun an oileáin don chomhneartú: rud a tharlaíodh gach ceathrú bliain san am. B'aisteach liom an scéal seo agus as sin amach ba mhinic mé féin agus mo mháthair ag cur síos ar theach dár gcuid féin, an déanamh a bheadh air agus cá mbeadh sé suite. Ach má thosaigh an scéal ina spraoi chríochnaigh sé lom dáiríre. Fritheadh suíomh míle siar an bóthar, idir an Mhainistir agus Eochaill, ar chreagán a d'fhéach chomh garbh sin agus gur dheacair a shamhlú go bhféadfaí teach go mbeadh plásóga bláthanna ina thimpeall a shuíomh ann. Ach b'in a tharla, díreach le linn don dara cogadh domhanda briseadh amach.

Ba í Nollaig na bliana 1940 an ceann deireanach a chaitheamar i gCill Rónáin. Bhí beirt eile i dteannta Mháirín agus mé féin faoin am seo: Éanna, a rugadh dhá bhliain i ndiaidh Mháirín agus Mairéad, a rugadh díreach roimh an Nollaig dhá bhliain dar gcionn. Bhí an cogadh tosaithe ó Mheán Fómhair, ceann ar an teach nua agus mise thar a bheith sásta. Ní hamháin go bhfuair mé bronntanais na Nollag an bhliain úd ach fuaireas carnán bréagán cúpla mí roimhe sin freisin. Ba le buachaill Sasanach, Roger Hammond, a raibh a athair ina oifigeach raidió ar an mbád tarrthála i gCill Rónáin, na bréagáin seo. Nuair a thosaigh an cogadh b'éigean dóibh filleadh faoi dheifir ar Shasana agus mise a fuair an bailiúchán mór bréagán, leabhar agus irisí. Leanbh aonair dáiríre ba ea Roger agus bhí sé ina pheata dáiríre freisin, ach bhí mise buíoch de féin agus de na tuismitheoirí a mhill é an bhliain úd.

Ní mórán a chuir an cogadh isteach orainn go ceann tamaill. Bhí rudaí mar a bhí gach uile Nollaig eile ach go raibh captaen an "Dún

Aengus", an Captaen Goggins, glaoite ar ais chuig Cabhlach na Breataine le troid sa gcogadh. Ach tháinig na hearraí go léir as siopa Mhac Con Mara i nGaillimh, mar ba ghnách, agus turcaí ó mo sheanmháthair i gContae an Chláir, an áit arbh as m'athair. Bhíodh an ceann sin glanta roimh ré, rud nach mbíodh an ceann a thagadh as Gaillimh. M'athair a chaitheadh é sin a ghlanadh mar nach raibh mo mháthair in ann boladh láidir a ionathair a sheasamh.

Uaireanta chuireadh mo sheanmháthair gé chugainn freisin le haghaidh na bliana nua, ach ní raibh an oiread sin tóir againn ar a cuid feola. Bhí sí níos saibhre agus níos gréisiúla ná an turcaí agus is cuimhneach liom go mbíodh a conablach le feiceáil sa gcistin go dtí Lá Chinn an Dá Lá Dhéag agus ina dhiaidh, go mbímís tuirseach de. Ach idir an cogadh agus tógáil an tí nua, bhí mo dhóthain ar m'aire an bhliain úd agus feictear dom anois gur athraigh an saol go mór tar éis dúinn dul siar chun cónaí ann. Bhí an t-aistriú scioptha agus níor bhain aon eachtraí leis ach amháin nach bhfanfadh an cat thiar. Cuma cé mhéad uair a tugadh siar i mála é, bheadh sé thoir arís ar an toirt. Ní hé gur iompaigh sé inár n-aghaidh mar thagadh sé amach, nuair a bhíodh mo mháthair ag teacht abhaile ón scoil, agus shiúladh lena taobh ar bharr an chlaí ag meamhlach, ar feadh cúpla céad slat agus ansin chasadh ar ais chuig an seanteach folamh. D'imigh sé fiáin ar deireadh agus fuaireamar cat óg don teach nua.

Níorbh é nuaíocht an tí nua ba mhó a chuir gliondar orm ach a shuíomh agus an fhairsinge a bhí ina thimpeall agus istigh ann, le hais an tseantí. Bhí sé tógtha ar bhruach aille, go hard os cionn na Mainistreach, an baile beag as a dtáinig máthair mo mháthar. Ní raibh Teampall Chiaráin, a bhí in aice chladach na Mainistreach, ach siúl deich nóiméad uainn.

Bhí feiceáil íontach ó bhéal an dorais tosaigh lá breá ó shléibhte Chiarraí agus béal na Sionna, suas cósta an Chláir chuig Aillte an Mhothair agus Ceann Boirne. Ba léir na dumhcha arda gainimh taobh thiar de Bhóthar na Trá, cé nar léir Gaillimh féin; ach amháin an oíche ar loisceadh siopa Mháirtín Mhóir Mac Donncha, in aice na nduganna, nuair a bhí na lasracha le feiceáil againn i lár na hoíche, in ainneoin iad a bheith tríocha míle i gcéin.

Siar ó na dumhcha bhí feiceáil ar chósta Chonamara chomh fada leis na Sceirde, le solas lae, agus chomh fada le teach solais Cheann Léime san oíche. Isteach ón gcósta bhí na Beanna Beola, chomh maith le cnoic agus sléibhte eile le feiceáil go soiléir. Ba é radharc na hoíche ab fhearr a thaitin liom féin tar éis tamaill. Chaithinn tamallacha fada ag breathnú ar shoilse na dtithe i gContae an Chláir agus i gConamara, soilse na ngluaisteán amuigh ar an gCeathrú Rua agus i nGarumna agus na tithe solais mar a bheidís ag caochadh súl ar a chéile. Ceann Léime i gContae an Chláir, Ceann Boirne taobh thuaidh de, Oileán an Tuí thíos fúinn ag béal Chuain Chill Éinne agus Ceann Léime in aice an Chlocháin i bhfad siar uainn.

Tar éis cúpla bliain a bheith caite sa teach againn bhí mo mháthair in ann athruithe aimsire a thuar trí bhreithúnas a bhaint as an gcaoi a raibh solas Oileán an Tuí ag scalladh. Dá mbeadh an solas ag dul suas san aer bhí aimsir gharbh i ndán dúinn ach dá mbeadh sé ag scalladh síos san uisce bhí báisteach air. B'aoibhinn liom a bheith i mo luí sa leaba go teolaí, ag éisteacht leis an bhfarraige ag briseadh thíos sa Mainistir agus an ghaoth ag lascadh an tí agus ag feadaíl trí na sreanganna teileafóin.

Áit thar a bheith uaigneach a bhí ann, go

háirithe sular tógadh an teach s'againne. Dúradh go bhfacthas sióga agus taibhsí ann. Chas capall Phat Mullen oíche, agus é ag teacht as an gCeann Thiar ar a charr cliathánach, agus bhain as siar arís. Ar ais aniar ní thiocfadh sí, má b'fhíor, gur ghealaigh an lá. An slua sí a bhí ag trasnú an bhóthair roimpi, a dúradh, agus ní cheadóidís d'aon neach daonna a mbealach a thrasnú.

Maidin dhubh geimhridh bhí Máirtín a' Bhreathnaigh as Fearann an Choirce ag siúl go Cill Rónáin chun dul amach ag iascach. Nuair a tháinig sé ag barr na carcrach taobh thiar den áir ar tógadh an teach s'againne, Carcair Chlaí Chocs, chonaic sé fear roimhe i log an bhóthair. Le go mbeadh comhluadar aige bhain sé as ina dhiaidh. Ach fiú nuair a rith sé chomh tréan agus a bhí ar a chumas níor ghnóthaigh sé orlach ar an bhfear, cé nach raibh seisean ach ag siúl, go dtí gur imigh sé as amharc timpeall coirnéil in aice ché Chill Rónáin.

Ach bhain an scéal ba mhó a chuaigh i gcion orm le haintín liom féin nach bhfaca mise riamh. Dúirt bean liom go bhfacthas m'aintín Julia, tamall tar éis a báis go hóg, ina seasamh ar bhruach na haille, cóngarach don áit ina raibh an teach tógtha, ag féachaint síos ar an

Mainistir. Teist éigin ar an bhfonn a bhí orm go mbeadh teach dár gcuid féin againn, nár scanraigh na scéalta seo an t-anam asam. Pé creideamh beag a bhí riamh agam i sióga agus i dtaibhsí, scaip an teach nua é.Bhí an tobar as a bhfaigheadh muid fíoruisce thíos faoi bhun na haille agus casán cúng, sleamhain síos chuige. Níor chuir sé isteach riamh orm dul síos ann i ndorchadas na hoíche nuair nach mbeadh díol fliuchta pota tae fanta i mbuicéad an uisce.

Chreid mé go luath i mo shaol, an rud a deireadh daoine ciallmhara nach raibh aon phisreoga acu liom, nach mbíodh rud ar bith níos diamhaire ná an duine daonna ná an t-ainmhí i mball ar bith d'oíche ná de ló. Sna chéad bhlianta úd sa teach nua a thosaigh mé ag cur spéise dáiríre sa dúlra, sa bhfarraige, sna logainmneacha, ag freagairt do na séasúir agus ag glacadh páirt éigin in obair an tí. An t-aon chineál saothair nár thaitin liom ba mhór an chúis díomá do mo mháthair é.

Bhí an ghráin agam ar gharraíodóireacht de chineál ar bith agus ghreamaigh sin díom ar feadh mo shaoil. Ní iarrfadh mo mháthair de shó ach a bheith ag cur rudaí ag fás san áit nar fhás aon cheo riamh roimhe sin. Fuair sí a mian sa teach nua agus ba ghearr go raibh bláthanna agus plandaí ag fás san áit nach raibh roimhe sin ach clocha glasa agus fraoch. B'éigean cré a thochailt aníos as na scailpeanna agus é a mheascadh le gaineamh agus le feamainn chun plásóg féarach agus ceapacha bláthanna a dhéanamh timpeall an tí. Mo mháthair a rinne formhór na curadóireachta ach bhíodh orainn cabhrú léi, ar fhaitíos go mbeadh muid náirithe os comhair na ndaoine a bhíodh ag dul an bóthar, ag moladh mo mháthar faoin ngairdín a bhí á chruthú aici ar an gcreagán lom, sceirdiúil.

Ní mheasaim gur leisce ba chúis le mo chol le garraíodóireacht. Bhíos breá sásta a bheith ag cartadh sna scailpeanna, ag líonadh scailpeanna le clocha, ag tabhairt cré ó áit go háit i mbarra rotha, ag cur péinte, nó saothar de chineál ar bith eile ach amháin a bheith ag fás agus ag giollaíocht bláthanna agus plandaí. Tá a fhios agam go raibh seo amhlaidh mar bhíos anois ag glacadh páirte dáiríre i réiteach don Nollaig.

De bharr go raibh an teach nua ní mórán glantacháin ba ghá a dhéanamh sna chéad bhlianta, ó thaobh cur suas aoil nó péinte. Taobh amuigh, ba ghá an casán isteach ón ngeata agus na casáin a bhí timpeall an tí a ghlanadh ón luifearnach a d'fhásadh aníos tríd an ngaineamh. Tar éis cúpla bliain b'éigean gaineamh úr a scaradh orthu agus ní raibh de locht air ach go dtugadh daoine isteach sa teach ar a mbróga é. D'aireodh tú ag díoscán faoi do chosa é. Uaireanta théadh gráinní de faoi dhoras na sráide agus dhéanadh torann gránna, nuair a d'osclaítí agus nuair a dhúntaí é, a chuireadh dinglis i bpréamhacha do ghruaige.

Bhí mo mháthair thar a bheith pointeáilte i dtaobh socruithe a dhéanamh i bhfad roimh ré agus d'ordaíodh sí prog na Nollag coicíos mhaith roimh an oíche mhór. Chreid sí freisin nach raibh ciall ar bith a bheith ag dul ó shiopa go siopa ar thóir sladmhargaí: go háirithe nuair a bhí duine ar oileán agus na siopaí i nGaillimh. Dá bharr sin rinne sí a cuid gnó ar fad le trí shiopa sa gcathair: Muintir Mhac Con Mara i gcomhair beatha, Tí Alexander Moon i gcomhair éadaí agus Muintir Uí Eidhin do chrua-earraí. Ba uathu seo a ceannaíodh ábhar an tí nua, mar shampla. Ach faoi Nollaig ba é an litir chuig Muintir Mhac Con Mara an litir ba thábhachtaí a d'fhág an teach s'againne. Níor caintíodh ar an litir thábhachtach eile, ná ar Dheaide na Nollag, go ceann i bhfad tar éis mo chuidse ciotaíle i dteach Chill Rónáin.

5

An Raidió

athair a bhreathnaíodh i ndiaidh ceann de na gairis ba thábhachtaí sa teach: an raidió. Bhí sé seo suite ar sheilf sa chistin agus ba é a thugadh nuacht na hÉireann agus an domhain chugainn, chomh maith le ceol, drámaí, tráchtaireachtaí ar chluichí agus a lán, lán eile. Ba ghá dhá chadhnra lena choinneáil sa tsiúl: ceann tirim, a sheasfadh trí mhí ach é a úsáid go spárálach, agus ceann fliuch nár mhór a chur go Gaillimh lena athlódáil, gach coicíos. Bhíodh dhá chadhnra fhliucha againn chun a chinntiú go mbeadh ceann lódáilte i gcónaí, ach faoi Nollaig, de bharr siopaí a bheith dúnta, baol drochaimsire a d'fhágfadh gan bád sinn, agus go leor cláracha Nollag nár mhór éisteacht leo, ba ghá cúram speisialta a dhéanamh de gach rud a bhain leis an raidió.

Ba mhóide arís a thábhacht ó thosaigh an cogadh.

Le linn do m'athair agus do mo mháthair a bheith ag scríobh na litreacha bhíodh an aiste bhliantúil á scríobh againne, a ndaltaí sa scoil, i dtaobh nósanna na Nollag agus sinn ag tnúthán leis na laethanta saoire. Ón uair go ligtí abhaile go luath sinn, an lá a thosaídís, bhíodh bóithre an oileáin lán de pháistí glóracha ag imirt cluichí ó dhubh go dubh; achar ama arbh é a locht a laghad an tráth sin den bhliain.

Sheoladh an bád i gcónaí oíche Nollag, leis an allúntas deireanach poist, bia úr agus an beagán daoine a thagadh abhaile don Nollaig an uair úd in Árainn. Ach cé go mbítí de shíor ag imní i dtaobh na drochaimsire a d'fhágfadh gan sméar mullaigh na Nollag sinn, ní cuimhneach liom ach droch-Oíche Nollag amháin i gcaitheamh blianta m'óige. Ní foláir nó bhí mé óg go maith, mar ní thabharfadh m'athair síos ar an gcé mé, agus is ó Charcair Joe Mac a chonaic mé an "Dún Aengus" ag teacht le balla.

Ní le balla ar an ngnáthchaoi a tháinig sí ach oiread ach isteach ar chúl na cé, mar ar fhan sí fada go leor leis na paisinéirí a chur amach ar bhalla cúil na cé, mar aon leis na málaí poist agus roinnt beartán. Ansin bhailigh sí léi síos an cuan in athuair. Agus nuair a shroich mé féin agus m'athair baile, leis na litreacha agus na páipéir nuachta agus go speisialta eachtra an bháid ag an gcé, níor chuir mo mháthair ach ceist amháin: "An dtáinig Pádraig Beag?".

Ba é seo an t-ainm ceana a bhí aici ar mo chol ceathar, Pádraig ó Coincheanainn, mac lena deirfiúir Julia, a bhí ina mhúinteoir bunscoile i mBaile Átha Cliath. Ba chuid dár Nollaig Pádraig agus bhí cion ar leith ag mo mháthair air mar gur cailleadh a mháthair agus é ina leanbh. Bhí cion againne air freisin mar thugadh sé leabhair chugainn mar bhronntanais i gcónaí. Ní raibh de locht agam ar na leabhair seo, de réir mar a chuaigh mé in aois, ach gur i nGaeilge a bhídís go léir agus ba leamh liom go leor acu le hais na leabhar Béarla a d'iarr mé i gcónaí ar mo thuismitheoirí do mo lá breithe. Is cuimhneach liom iallach a chur ar na gasúir eile paidir speisialta a rá, teacht na Nollag bliain amháin, go dtabharfadh Pádraig leabhair Bhéarla chugainn an bhliain áirithe úd.

Dá mbeadh an chiall agam a tháinig chugam níos deireanaí, thuigfinn go raibh sé fánach againn a bheith ag guí. Ach ní raibh aon tuiscint agam an uair úd ar na cúrsaí a raibh Pádraig sáite iontu i mBaile Átha Cliath ag iarraidh an Ghaeilge a athbheochan. Ansin, Nollaig amháin, nuair a bhíos tuairim dhá bhliain déag, thug sé leabhar leis an scríbhneoir Conallach, Séamus Mac Grianna (Máire) chugam. Cuntas a bhí i "Nuair a Bhí Mé Óg" ar a óige i Rann na Feirste, agus ar éigean a leag mé uaim é go raibh sé críochnaithe agam. Ina dhiaidh sin ba mhó arís an fháilte a bhíodh agam roimh mo chol ceathar agus a bheartán leabhar.

I ndiaidh na Nollag a thagadh an drochaimsir, chomh fada le mo chuimhne: gálaí agus farraigí móra. Nuair a tháinig an t-am dúinn dul go tír mór chuig meánscoil bhímís ag guí ag iarraidh stoirm a thosódh ag séideadh an oíche roimh an lá báid go mbíodh orainn filleadh agus nach lagódh go ceann seachtaine. B'annamh a bhí toradh ar na paidreacha seo, cé gur cuimhneach liom stoirm uafásach a thosaigh ag séideadh agus sinn thíos i lár an chuain, ar an mbealach go Gaillimh. Le cois díomá mór a chur ar na scoláirí meánscoile, chuir sé tinneas farraige ar a bhformhór freisin agus bhain go leor den mhaith as saoire Nollag na bliana úd.

An rud ba mhó a thaitin liom i dtaobh na Nollag, tar éis dúinn dul sa teach nua, ná a bheith ag baint an eidhneáin agus an chuilinn lena maisítí an teach. Nuair a bhí mé beag théinn in éindí le m'athair á bhaint agus b'fhada liom, ar údar éigin, go mbeinn in ann dul á bhaint liom féin. Ag breathnú siar anois air, is dóigh nach raibh ann ach cuid den fhonn a bhíonn ar bhuachaillí beaga a bheith fásta suas chomh tapaidh agus ab fhéidir; nó, mar a deirtí in Árainn, a bheith sna fir.

Thug mé m'aghaidh siar, an mhaidin úd roimh oíche Nollag, tua beag agus scian agam agus róipín leis na craobhacha a cheangal agus a iompar abhaile. Ba ghnách liom go leor siúlóide a dhéanamh agus bhí a fhios agam cá raibh na tomacha eidhneáin agus na craobhacha cuilinn ba shaibhre agus ba ghlaise dath le fáil.

Dúirt fear as Cill Rónáin rud i dtaobh an oileáin uair, a d'fhan i mbéal na ndaoine: "Tá clocha fairsing in Árainn." Ar éigean a d'fhéadfadh sé fírinne níos bunúsaí ná níos simplí a fhágáil le huacht ag an bpobal. An chéad rud a rinne tú, fiú agus tú i do pháiste, nuair a chuir neach éigin isteach ort, ná cromadh síos, breith ar chloch agus scaoileadh faoi.

Bhí réimsí móra den oileán nach raibh iontu ach leacacha loma ghlaschloch aoil, creaga briste, scailpeanna domhaine agus corrghleann beag féarach ina bhfásadh luibheanna agus bláthanna fiáine ar a mbíodh boladh álainn cumhra ó earrach go fómhar. Thíos i bhfoscadh na scailpeanna thiocfá ar phlandaí ar nós tae scalprach agus ar thorthaí ar nós na sú talún fiáine agus crúibíní dearga a bhlais chomh milis agus chomh géar nuair a bhrúití siúcra tríothu. Ach bhí ordú againn gan blaiseadh de chaor gan a bheith cinnte ar dtús go raibh sé inite, mar bhí rudaí go leor ag fás a bhí meallltach i gcosúlacht ach a bhí dainséarach dá n-íosfaí iad.

In aice na farraige bhí faobhar ar na clocha ó cháitheadh na mara ar feadh na mílte bliain agus ba bheag a d'fhás, fiú sna scailpeanna domhaine, ach amháin na blátha crua, creige nach ndeachaigh ar foscadh ar chor ar bith ach a d'fhás amach go bruach na mara agus ar mhullach na n-aillte ab airde. Fiú sna coda ab fhiáine den oileán bhí rudaí suimiúla le feiceáil faoi do chosa le linn do shiúlta.

Ach bhí talamh maith ar an oileán freisin, mar ba léir ó na beithígh bhainne agus ó na capaill mhóra throma a tharraingíodh tonnaí plúir agus earraí eile suas carcracha géara

Inis Mór. Níor léir do na cuairteoirí lae, a théadh siar trí lár an oileáin ar charranna cliathánacha nó de shiúl cos, mórán den talamh mhéith, féaraigh seo. Dhéanaidís íontas mór de na beithígh bhreátha chothaithe a d'fheicidís i gcuid de na buailte beaga a raibh claíocha arda cloch ina dtimpeall. Cén chaoi a mhaireadar ar chor ar bith agus cé air, a d'fhiafraídís de na tiománaithe agus de dhaoine a bhí ag dul an bóthar? An té a d'fhanfadh cúpla lá ar an oileán gheobhadh sé an t-eolas sin agus go leor eile ach, arís eile, le gach rud i dtaobh an tsaoil a thuiscint níor mhór maireachtáil trí na séasúir go léir, uair amháin ar a laghad.

Faoi íochtar, mar a deirimis, a bhí an talamh ab fhearr, go háirithe faoi íochtar Eochalla, baile a bhí gar do lár an oileáin mar a sroicheann sé an pointe is airde. Bhí seanfhocal ann a dúirt, "Má bhíonn tú in Éirinn bí in Árainn agus má bhíonn tú in Árainn bí in Eochaill."

Bhí formhór na talún seo ar thaobh fascúil an oileáin, a chuaigh le fána ó na haillte arda ó dheas—go raibh a n-aghaidh ar Chiarraí—go dtí an cósta íseal ó thuaidh a bhí ar aghaidh Chonamara, a bhí cuid mhaith níos gaire dúinn. Anseo faoi íochtar bhí domhaineacht i bpluid chré an oileáin agus an féar dúghlas, tiubh dá réir. Agus de bharr gur annamh a thit sneachta, ná sioc ar bith ach an chuid ab éadroime, níor ghá an stoc a chur in aon scioból sa ngeimhreadh.

Siar faoi íochtar a théinn ag baint na gcraobhacha Nollag. Ní raibh sé i bhfad uaim. Deireadh daoine gur in Eochaill a bhí an teach s'againne agus nach sa Mainistir ar chor ar bith. Ach deireadh daoine eile go mba é an claí taobh thiar den teach an claí teorann idir an dá bhaile agus go rabhamar sa Mainistir. Ceithre bhaile dhéag atá ar an oileán ach níor léir dom go raibh oiread sin tábhachta leis na teorainneacha a bhí eatarthu ach amháin nuair a bhíodh ábhar á bhailiú do thine cnámh oíche Fhéile Tine Sheáin. Thugadh gach teach móin, nó ábhar solasta de shórt éigin, don dream a bhí i mbun tine an bhaile sin, mar bhíodh tine i ngach baile. Mar sin a réitítí ceist na dtithe imeallacha, ar nós an tí s'againne, agus ba chuig tine Eochalla a théinn féin agus mo chuid móna.

Tá tobar istigh faoi bhun aille bige, idir Eochaill agus an fharraige ó thuaidh de, ar a dtugtar Tobar an Chuilinn. Tobar beag deas a dhéanadh gliogaíl nuair a bhíodh sruth láidir ag teach ó bhun na haille, ar nós duine a bheadh ag tabhairt folcadh do scornach thinn. Sceitheadh an t-uisce amach as an iomar beag cloiche, trí na clocha scaoilte a bhí ina thimpeall agus isteach i mbuaile a bhí ina aice. Bhí biolar ag fás sa riasc beag, bídeach seo, a bhí géar ar an teanga ach thar cionn le blas úr a chur ar do bhéal. Os cionn an tobair seo a bhí fáil ar chuid den chuileann ab fhearr ar an oileán, cé go bhfaighinn deacair go leor dul chuige de bharr go raibh na préamha ag fás suas as bruach na haille. Thit mé anuas agus isteach sa tobar bliain amháin agus mé buíoch nach raibh deoraí, cé is moite de chúpla éan, sa timpeall le pléisiúr a bhaint as mo mhístuaim.

Bhí eidhneán, ar a raibh duilleoga leathana, le fáil níos gaire don teach, ar an aill taobh thiar de Theampall Assurnaidh. Séipéilín ársa é seo ach is beag atá ar eolas i dtaobh Assurnaidh. Tugann eolaithe áirithe le fios gur easpag a bhí ann a tháinig go hÉirinn sa mbliain 438. Ach creideadh in Árainn gur bean a chónaigh anseo. Tá leaba, tobar agus tom in aice an teampaill atá ainmnithe aisti. Ach más í Assurnaidh ban-naomh aonraic Inis Mór ní heol dom gur ainmníodh cailín amháin ar an oileán le hómós di.

Ach níor luigh na ceisteanna sin ar m'intinn

mórán, le linn dom a bheith ag baint an eidhneáin, a bhí níos boige go fada ná an cuileann crua, deilgneach. Ní chuimhníodh muid ar stair na n-iarsmaí atá chomh flúirseach ar an oileán, go dtí go gcuireadh fámaire éigin ceist ina dtaobh. Ach pé acu an fear nó bean a d'aimsigh an spota ciúin, discréideach seo faoin aill lena anam a dhéanamh, bhí súil do shuíomh ar fónamh aige nó aici.

6

Oíche Nollag

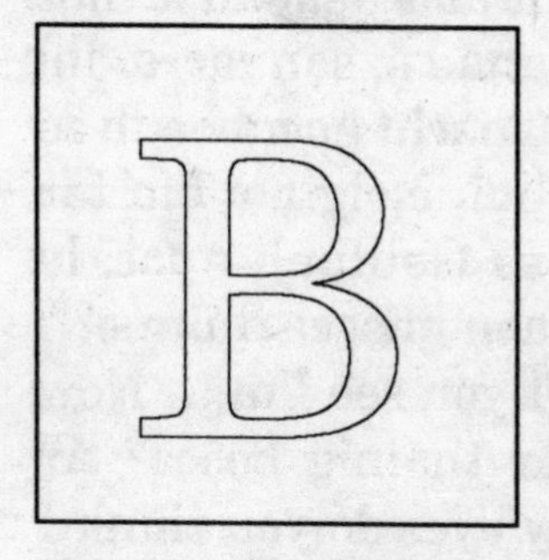

híos mór go leor anois le bheith páirteach i rí-rá na cé oíche Nollag. Nuair a d'éirigh mé críonna, agus go háirithe tar éis dom mo chéad rothar a fháil ar mo dhara breithlá dhéag, thuigeas gur mhó an spórt a bhí le fáil i bhfad ón teach, áit a bhfaigheadh mo mháthair scór tasc tuirsiúil dom le déanamh: snasadh an tsoirn sa gcistin, ag baint gréise de choinnleoirí agus ag cur coinnle Nollag iontu, ag líonadh buicéid le fíoruisce ón tobar faoin aill agus ag feistiú an chuilinn agus an eidhneáin a bhí bainte agam; agus suim caillte agam ann chomh luath agus a bhí sé tugtha abhaile. Ní raibh an obair sin chomh suimiúil ar chor ar bith le bheith ar an gcé ag baint sult as Patchín a' Cheannaí ag sáraíocht le muintir na háite agus le foireann an bháid.

Fuair mé amach gan mhoill go raibh bealach an-simplí leis an bhfear bocht a chur le báiní, gan aon cheo a dhéanamh as bealach. De bhrí nach raibh ar a chumas déileáil le níos mó ná rud amháin, dá laghad é, san iarraidh, ní raibh le déanamh ach fanacht go mbeadh sé ag cuntas sóinseála do dhuine éigin a bhí tar éis costas iompair lasta as Gaillimh a íoc, le ceist a chur, "Ar tháinig aon bhosca dúinne?".

"What the hell ... Can't you see I'm ... Now you've put me astray. Ar tháinig bosca? Ar tháinig bosca? How many eyes do you think I have?"

"Hóra, a Phatchín," a d'fhógródh duine éigin eile, "Tá an captaen ag glaoch ort. Tá deifir soir chuig na hoileáin air."

"What sort of deifir soir is on him now?" a deireadh an fear bocht agus dheifríodh chun an bháid agus streoillín siopadóirí i ngreim ann agus a cheist féin ag gach fear díobh.

An Captaen Senan Mescall as Luimneach, a tháinig in ionad an Chaptaen Goggins, a bhí ag treabhadh an Atlantaigh Thuaidh i mbád cogaidh faoin am seo agus é ag cuimhneamh, b'fhéidir, ar an Nollaig in Árainn agus ar an rí-rá neamhdhíobhálach ar ché Chill Rónáin. Níorbh ionann agus an Sasanach ciúin, bhí an Captaen Mescall lán de dhiabhlaíocht agus thuig sé freisin go raibh faitíos ar Phatchín roimh a údarás agus nach smaoineodh sé ar a bheith chomh mímhúinte leis agus a bhíodh sé le cuid de mhuintir na háite.

Ba mhinic a ligeadh sé air gur theastaigh uaidh go scaoilfí na rópaí láithreach agus gan ach leath an lasta curtha i dtír, mar go raibh an fharraige ag éirí agus fonn air déanamh soir ar Inis Meáin. Ach bhíodh fonn imeachta dáiríre ar an gcaptaen agus ar an bhfoireann oíche Nollag. Bhíodh a Nollaig féin ag feitheamh leo i nGaillimh agus bhí an lá gearr.

Idir rud amháin agus rud eile b'ait an gleo a bhíodh ar cheann na cé an lá sin. Bhíodh an captaen ag béicíl ar chuile dhuine, anuas ó dhroichead na loinge. Bhíodh an máta, Mike Folan (arbh as Cill Éinne a mháthair agus a bhí iomlán dátheangach) ag béicíl ar ais ar an gcaptaen, síos i mbolg na loinge leis an bhfoireann a bhí ag feistiú crocháin ar earraí don chrann tógála, ar Tom Anderson a bhí i mbun an chrainn tógála, ar Phatchín agus ar dhuine ar bith eile a labhair leis. Fear annamh ba ea Mike Folan, a bhí ábalta freastal go héifeachtach ar chuimse tránna. Ba gheall le páirt den bhád é agus ba chompordaí go mór ar muir ná ar tír é. Chuala mé ráite ina thaobh go raibh oiread eolais ar chuan na Gaillimhe agus ar an bhfarraige timpeall na n-oileán, agus a bhí aige ar urlár a chistine féin i Sráid na Súdairí i nGaillimh. Tráthnóna amháin, tar éis dó filleadh as Árainn, shuigh sé ar chathaoir sa gcistin, d'iarr cupán tae agus d'imigh an t-anam as ar an toirt.

Dhéanadh an crann tógála torann uafásach miotalach agus bhíodh gal bruite de shíor ag siosarnach agus ag feadaíl as páirteanna de. Le linn do na hearraí a bheith á luchtú agus á ndíluchtú, bhíodh orduithe á dtabhairt ar an mbád agus i dtír. Ba mhinic na glórtha go léir ag coimhlint lena chéile agus le gleo an chrainn tógála. Thagadh na gártha ba scanrúla ón gcriú i mbolg na loinge, áit a mbíodh mac Mhike Folan, Murtaí, i mbun oibre. Bhí scread aige ar nós éan aille leonta agus mheasfá amannta gurb amhlaidh a thit bairille pórtair ina mhullach agus go raibh sé ag séalú go pianmhar in íochtar an bháid.

Nuair a chuireann tú an gleo sin go léir i dteannta torann na mbairillí folmha á rabhláil síos an ché agus scríobadh fonsaí na mbairillí lána a bhí tagtha as an mbád, gan trácht ar chliotaráil na gcarranna capall ag dul chun tosaigh agus chun deiridh agus na tiománaithe ag fógairt "Go back!" agus "Stand, a dhiabhail!" (ar chúis éigin, Béarla a labhradh le capall agus le gadhar agus Gaeilge le beithígh agus le cait), beidh tuairim éigin agat de chíréib na cé. Is furasta a thuiscint nach go héasca a d'fhéadfadh buachaill é féin a stracadh ar shiúl go dtí gur shéid an captaen an buinneán gaile—tar éis dó a fhógairt ar lucht na gcarranna dul i ngreim cloigne sna capall, ar fhaitíos go ngeitfidis—gur scaoileadh na téada agus gur shleamhnaigh an "Dún Aengus" amach i ndiaidh a cúil ón gcé; gur stad le linn na hinnill a bheith á gcur chun cinn, gur bhain clog an chaptaen ar an droichead, gur fhreagair clog an innealltóra é agus gur thug an bád aghaidh ar bhéal an chuain.

Bhíodh an ché thar a bheith ciúin tar éis di imeacht agus bhí sé in am aghaidh a thabhairt siar abhaile. Bhíodh gleáradh mór le cloisteáil as tí Joe Mac, tí Dhálaigh, tí an Dochtúra (mar b'againne a bhí an t-aon dochtúir san Eoraip, nó sin é a dúradh, a bhí ina óstóir freisin) agus as tí Joe Watty. Bhí deochanna na Nollag á n-ól. Taobh amuigh de Theach an Phoist bhíodh na litreacha deireanacha á nglaoch amach. Thomas Faherty Bartley, Fearann an Choirce. Peter Gill, Upper Kilronan. John

Flaherty Tom, Bun Gabhla. "Here," a d'fhreagraíodh daoine agus "Anseo" a d'fhreagraíodh daoine eile. Ach d'fhágtaí litreacha go leor ag fir an phoist le seachadadh iad féin agus b'in deis le buíochas a chur in iúl dóibh trí dheoch na féile a thairiscint dóibh siúd a d'ól rud ba láidre ná tae.

Nuair a bhíomar sa teach deireanach i gCill Rónáin b'againn a chríochnaigh fear an phoist a thuras agus ba ghnách leis suí sa gcistin, ag cómhrá le m'athair agus ag ól a dheoch ar a shuaimhneas. Bhí Tom Beatty agus m'athair tugtha do sheanchas agus duine acu chomh cainteach leis an duine eile. Níor dheacair dóibh saol a chruthú ina dtimpeall a bhí scartha go hiomlán leis an aimsir láithreach, ach as ar bhaineadar beirt sásamh mór agus suaimhneas ó dhriopás na féile.

"Dia linn agus Muire ach éist leis an mbeirt amuigh," a deireadh mo mháthair, "Nach breá an rud gan imní a bheith ort. Tá bainne le fáil agus turcaí le glanadh agus míle rud eile le déanamh ach ní dhéanfadh oíche ar bith ach oíche Nollag cúis do Tom Beatty agus do d'athair le breithiúnas a thabhairt ar Hitler." An fear poist a bhí againn tar éis dúinn dul siar an bóthar níor ól sé deoir ar bith, agus dá n-ólfadh féin ar éigean a bheadh deis aige sásamh a bhaint as. Mar anois bhíomar i dtús aistir fhada siar chomh fada le Bun Gabhla, in áit a bheith i ndeireadh aistir ghearr timpeall Chill Rónáin.

D'fhág seo go mbíodh cúrsaí an tí réitithe níos luaithe agus an bainne agus pé rudaí a bhí ag teastáil ón siopa, tugtha aniar as Eochaill sular thit an oíche. De bharr nach raibh aon talamh againn b'éigean dúinn bainne a fháil ó dhaoine éagsúla, de réir mar a bhíodh bainne fairsing acu. B'in gaiste eile do m'athair, agus domsa freisin nuair a d'éirigh mé suas, agus údar eile ag mo mháthair a bheith ag clamhsán faoi mheilt aimsire.

Tithe móra seanchais ba ea cuid de na tithe seo agus b'iontu a fuair m'athair agus mé féin go leor dár gcuid eolais ar stair agus ar phearsana tábhachtacha an oileáin san am a caitheadh. Ligeadh mo mháthair uirthi nach raibh aon tábhacht leis na rudaí sin, cé gur thugas faoi deara go n-éisteadh sí le spéis le m'athair nuair a thosaíodh sé ag aithris an tseanchais di. Ach ba dheacair léi, uaireanta, an teorainn idir seanchas agus an rud nach raibh ann ach béadán gan tábhacht a fheiceáil. Sin é a deireadh sí, ar aon nós,mar bhí an-ómós aici do phríobháid agus ba é a bhí aici in aghaidh cuartaíocht i dtithe i ndáiríre, ceapaim anois, ná gur ghráin léi féin dul isteach i dteach strainséara ar bith: go fiú nuair a bhíodh gnó speisialta aici iontu, ar thórramh nó eile.

Ach b'annamh a bhíodh údar clamhsáin aici oíche Nollag mar, de réir a chéile, thosaíodh an fhéile ag gaibhniú daoine ina dtithe féin. Dhúnadh na hóstaí go luath agus théadh go leor nár thaobhaigh an altóir ó Cháisc, chuig faoistin tráthnóna.

Dúirt daoine "Mo chuid den Nollaig ort" le daoine eile don uair dheireanach agus d'fhreagair siadsan "Mo chuid de uait" agus thosaigh an t-oileán ag ciúnú de réir a chéile go dtí go raibh sé in am na coinnle a lasadh sna fuinneoga agus b'in tús ceart leis an Nollaig. Bhí sé in am anois an chéad suipéar a réiteach agus a ithe.

Iasc agus fataí a bhíodh ag daoine ar an gcéad suipéar: iasc saillte a chuirtí ar bogadh in uisce ar feadh achair roimh ré leis an ngoirteamas a bhaint as. Nuair a bhíos óg is cuimhneach liom go mbíodh langa againn agus ba bhreá an t-iasc é, úr nó saillte. Ach d'imigh an langa as na huiscí s'againne agus ba é an mangach saillte ba mhinicí a bhíodh againn as sin amach. Bhí sé gar i ngaol leis an langa ach gan a chuid feola a bheith chomh téagartha. Bhí mangacha fairsing agus b'fhéidir iad a mharú ón gcarraig le dorú. An chuid nach n-ití úr déantaí iad a shailleadh le salann garbh agus ina dhiaidh sin chuirtí á dtriomú sa ngrian iad go mbídís chomh crua le cláracha adhmaid. B'fhéidir iad a chur i dtaisce in áit thirim ansin go mbídís ag teastáil do bhéile.

B'éasca iad a bhruith nuair a thógtaí iad as an uisce ina rabhadar ag bogadh agus ní raibh le déanamh ansin, seachas na fataí a bhruith, ach anlann geal oinniún a réiteach. Ní anlann a thugaimís air ach "priotháil"; leagan den bhfocal friotháil nach mbaintí úsáid as ach amháin i gcás friothála ar Aifreann.

Ba mhinic an béile céanna seo ar bord i rith na bliana, go speisialta sa gCarghas agus ar an Aoine, ach is í an Nollaig a mheabhraíonn sé domsa ar bhealach an-speisialta. Ba é an gnás é a ithe agus doras na sráide ar oscailt, i gcuimhne na chéad Nollag nuair a bhí na doirse dúnta i mBeithil. Ach sula mblaistí aon ghreim d'abraíodh ceann an tí, "Go mbeirimid beo ar an am seo arís," agus d'fhreagraíodh an líon tí "Áiméan." Ag an bpointe sin bhí an Nollaig tosaithe i ndáiríre.

Ina dhiaidh sin bhíodh intinn an aosa óig ar pé rud go raibh súil acu leis mar bhronntanas.

Ach b'éigean fanacht leis sin mar ba an nós an dara béile a chaitheamh, nuair a bhíodh an goile géaraithe arís tar éis an chéad chinn. D'fhonn an staid sin a dheifriú, is dóigh, thugtaí na gasúir amach ag siúlóid chun féachaint ar na soilse i bhfuinneoga an oileáin. Dá mbeadh an spéir glan, rud ba mhinic más cruinn mo chuimhne, bhíodh feiceáil bhreá again ar na soilse i bhfuinneoga Chonamara agus Chontae an Chláir agus thoir uainn in Inis Meáin agus in Inis Oírr. Ar an gcaoi chéanna gur léire i mo chuimhne dreach tíre na hoíche ón teach ná dreach tíre an lae, is iad na hoícheanta a mbíodh crios solais timpeall an chuain agus amach ó dheas is criostalaithe atá sa tseanchuimhne: oíche Nollag, oíche Chinn Bhliana, oíche Chinn an Dá Lá Dhéag agus oíche Fhéile Tine Sheáin.

An tráth sin den oíche ba bheag duine a bhí ag corraí, cé is moite de na fir dheireanacha a d'fhág na hóstaí i gCill Rónáin agus i gCill Éinne agus a chloisfeá soir uait ag caint os ard, ag gáire níos airde fós agus ag canadh corramhrán. D'aireofá torann toll na gcarranna capall agus sodar na gcapall a bhí ag tarraingt na gcarranna cliathánacha agus "Go on our that!" na dtiománaithe, i bhfad níos faide uait mar gheall ar an gciúnas; go háirithe má bhí rian an tseaca ar an aer. Ní bhíodh aon chaint ar Nollaig shneachtúil in Árainn. Níor thit sneachta níos gaire dúinn ná Conamara, le linn dom a bheith ag fás suas, agus nuair a thit, le linn domsa a bheith sa meánscoil ar tír mór, bhí an scéal ar leathanaigh thosaigh na nuachtán.

Nuair a bhíodh an teach s'againn féin scrúdaithe againn ó gach taobh bhíodh fonn tae orainn, mar in ainneoin an uisce inar cuireadh ar bogadh iad, d'fhanadh cuid den ghoirteamas sna mangaigh agus chuireadh tart orainn. Nuair a theastaíodh ó mo mháthair muid a chur in aghaidh an óil le fabhalscéal, nós scéalaíochta go raibh sí thar a bheith tugtha dó, d'insíodh sí scéal faoi fhear as ceann thoir an oileáin a tháinig isteach chuig a máthair i nGort na gCapall, gur iarr uirthi cúpla scadán saillte a chur ar an tlú agus iad a róstadh os cionn na tine.

Mheas a máthair gur ocras a bhí air agus d'fhiafraigh an gcuirfeadh sí síos fataí dó freisin. Dúirt an fear nach raibh ocras ar bith air ach go raibh sé ag dul ar thórramh i gCill Mhuirbhí, go mbeadh bairille pórtair ann agus go raibh faitíos air nach mbeadh sé in ann a dhóthain a ól d'uireasa géarú tairt. Mar sin a fuaireas mo chéadtuiscint ar chraos;

peaca nach raibh tuiscint ar bith agam air, de bhrí gur mheas mé gur le bia amháin a bhain sé agus ba dheacair an cineál sin craois a shamhlú in oileán inar ith daoine go measartha i gcónaí. Ar éigean is gá a rá nach bhfuair an fear óg sa scéal fad saoil.

Ba dheas an rud filleadh ar theas na cistine i ndiaidh na siúlóide agus ba dheise arís an bord a fheiceáil á leagan agus an cáca Nollag suite ina lár. Bhíodh doras na sráide dúnta faoi seo agus idir an teas, an bia saibhir, agus tnúthán le bronntanais na maidne, b'fhurasta daoine beaga agus daoine nach raibh chomh beag sin freisin, a sheoladh suas a chodladh. Ní raibh aon trácht ar Aifreann an mheán oíche in Árainn an uair úd, ná go ceann fada ina dhiaidh, ach bhíodh Aifreann ann go luath ar maidin agus nuair a d'éirigh mé as a bheith ag freastal Aifrinn i séipéal Chill Rónáin bhínn ag freastal ar an Aifreann luath i séipéal Eochalla.

7
Lá Nollag

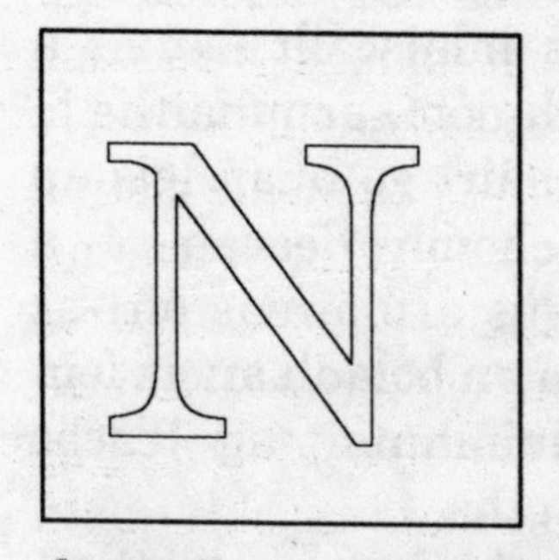

í raibh aon cheo speisialta i dtaobh an Aifrinn ach nach dtugadh an sagart aon tseanmóir. Ghuíodh sé Nollaig faoi mhaise don phobal agus dá ngaolta i gcéin agus leanadh ar aghaidh leis an Aifreann. Bhí ciall leis sin mar bhíodh formhór an phobail ina dtroscadh, de réir nós na huaire, agus go leor díobh tagtha de shiúl cos aniar as an gceann ab fhaide thiar den oileán. Níor tógadh séipéal thiar in Eoghanacht go ceann blianta ina dhiaidh sin.

Ní raibh aon bhricfeasta sa mbliain a mbíodh oiread fáilte agam roimhe agus a bhíodh roimh bhricfeasta lae Nollag. M'athair a réitíodh é, de bharr é a bheith sa mbaile romhainn ar a rothar, nó ag tabhairt aire don chuid den chlann nach raibh fós in ann dul ar Aifreann, agus ag dul chuig ceann ní ba dheireanaí é féin. Bhíodh boladh an bhricfeasta úd beagnach chomh maith lena bhlas agus ba é ba chiontaí leis an dúil a bhí agam i mbagún friochta agus in ispíní, níos deireanaí i mo shaol, a mhúscailt. Nuair a tháinig sa lá gur moladh dom, ar mhaithe le mo shláinte, cúl a thabhairt go buan leis an bhfriochtán, fuaireas chomh deacair é a dhéanamh nach mór agus a fuaireas éirí as toitíní. Nuair a fhaighim an boladh anois féin is ar an Nollaig a chuimhním; ag teacht isteach ón Aifreann stiúgtha.

Ba é lá Nollag an lá ba chiúine sa mbliain, ó théadh na daoine abhaile ón dara Aifreann. Bhí sé níos ciúine arís ná Aoine an Chéasta, mar nach mbíodh go fiú searmanas eaglasta ann tráthnóna. Ar éigean go mbíodh daoine le feiceáil ar na bóithre go dtagadh am bleáin. Ansin féin théadh daoine abhaile díreach ina dhiaidh. Chomh fada le mo chuimhne bhí an lá tugtha suas go hiomlán nach mór do theach na muintire agus do gharghaolta.

Bhaintí fad as an dinnéar sa teach s'againne go háirithe agus ní raibh ann ach an ceart tar éis a raibh caite d'anró leis. Ós rud é nár itheadh turcaí riamh ach amháin faoi Nollaig bhain nuaíocht mhór leis agus leis an stuáil bhlasta aráin. Chomh fada agus a bhain liomsa, cé gur choinnigh mé agam féin mo thuairim, thosaigh mé ag tuirsiú de bheatha na Nollag, ón uair go mbíodh an dinnéar mór úd ite agam. Oileadh sinn chun ár gcuid bia a ithe go mall. "Fóill dod phlaic agus altaigh do bhia" an nath a bhí ag mo mháthair. Tá faitíos orm go mba é mo nádúr féin mo chuid a alpadh, dá bhfaighinn an deis. Nuair a bhíodh iallach orm déanamh go réidh d'airínn sactha go muineál sula mbíodh mórán ar chor ar bith ite agam.

Tar éis an dinnéir, nuair a bhíodh an bord glanta agus na soithigh nite, thugadh mo mháthair anuas an gramafón agus sheinneadh plátaí ceoil. Ceann é ab éigean a thochras le lámh miotail a sháití isteach ina thaobh. Níor mhór a bheith thar a bheith cúramach gan an iomarca stró a chur ar an dtuailm agus é a bhriseadh.Tharla sin, Nollaig amháin, de bharr m'easpa taithí féin ar theannas na tuailme a bhrath.Chas mé an lámh babhta rómhinic agus d'airigh mé rud éigin ag tabhairt uaidh. Ansin, b'fhéidir an lámh a chasadh le do laidhricín agus b'in deireadh le ceol na Nollag an bhliain áirithe sin.

Cé nach raibh milleán ag éinne orm i dtaobh na timpiste bhí milleán mór agam orm féin.

Feicim fós na boscaí plátaí ceoil a bhí tugtha anuas as an gcófra ina gcoinnítí iad, ina luí balbh ar an mbord de bharr mo chiotaíle. Níos measa fós, b'éigean an t-inneall a bhaint amach as an ngramafón, é a chur i mbosca agus é a sheoladh go Gaillimh le tuailm nua a fheistiú ann.

Agus ar fhaitíos nach raibh sin sách dona, tháinig litir ar ais as Gaillimh ag rá gurbh éigean an t-inneall a chur go Baile Átha Cliath mar nach raibh aon scil acu féin in inneall den déantús áirithe sin. Nuair a shroich sé ar ais, tar éis a thurais trasna na hÉireann, bhí an tuailm nua chomh righin sin agus go raibh faitíos orm go raibh sé ar tí briseadh arís faoi mo lámh. Thóg sé píosa fada orm an ceann ab fhearr a fháil ar m'fhaitíos roimh an ngramafón. Bhí dúil mhór i gceol ag mo mháthair agus thosaigh sí ag bailiú plátaí ceoil le linn di a bheith ina múinteoir óg i mBéal Feirste, le linn an chéad chogaidh mhóir.

Bhí na plátaí ceoil briosc agus a n-uachtar bog agus ba ghá a bheith thar a bheith cúramach ag leagan an ghléis ina raibh an tsnáthaid feistithe anuas orthu. Níor mhór a bheith ag faire air freisin nuair a bhí sé ag teannadh le ceann scríbe, ar fhaitíos go rithfeadh sé isteach i lár an phláta agus é a lot. Na snáthaidí féin níor mhór súil ghéar a choinneáil orthu, mar tar éis do cheann acu oiread áirithe plátaí a sheinnt bhíodh sé maol agus dhéanfadh sé damáiste d'uachtar na bplátaí dá n-úsáidfí rómhinic é. Ach cé go raibh an seanghramafón trioblóideach ba é a dhúisigh mo spéis teoranta féin i gceol, agus b'iomaí sin uair pléisiúir a thug sé dúinn: in ainneoin na giollaíochta ab éigean a dhéanamh air.

Lá Fhéile Stiofáin thosaigh an t-oileán ag bíogadh arís. Sa seansaol, chuala mé, ba é sin lá na troda.Théadh fir isteach go Cill Rónáin ar maidin agus léinte geala orthu agus an té nár fhill abhaile tráthnóna agus a léine chomh dearg le sméar ba bheag an meas a bhíodh air. Ní foláir nó bhí an saol imithe go mór chun míneadais le linn m'óige féin, mar ní cuimhin liom troid amháin féin; cé gur mhinic sinn ag tnúthán le ceann, de bhrí gur nuaíocht mhór inár saol a bheadh ann.

Thosaíodh lucht an dreoilín ag dul ó dhoras go doras go luath sa lá. Ní mórán acu a bhíodh ann agus ní mórán cuma a bhíodh orthu ach oiread. Ní raibh an nós an-láidir san áit, b'fhacthas dom, agus níor bhain ceol, rince ná amhránaíocht leis. Baiclí buachaillí beaga, a mbíodh turnapaí feistithe le cleiteacha ar iompar acu agus iad ag aithris,

Dreoilín, dreoilín, Rí na nÉan,
Is mór do chlann agus is beag tú féin.

a bhíodh ag dul ó theach go teach ag bailiú airgid.

Níos deireanaí sa lá thosaíodh fir ag dul soir an bóthar go Cill Rónáin chuig na tithe ósta, a bhí oscailte arís. Soir a chaitheadh muintir an chinn thiar agus lár an oileáin dul an uair úd, mar nach raibh aon ósta taobh thiar de Chill Rónáin san am. Ina measc siúd a d'fheicinn ag dul soir Lá Fhéile Stiofáin, sna blianta úd, bhí an dream a bhí páirteach i ndéanamh an scannáin "Man of Aran," i dtús na dtríochaidí. Théidís soir in éindí agus Patch Rua Ó Maoláin agus Patchín Phatch Sheáin Ó Conaola go feiceálach ina measc. Rinne fear déanta an scannáin, Robert Flaherty (nach raibh baint aige le hÉirinn ná le hÁrainn, gur tháinig sé leis an scannán a dhéanamh)socrú le Tí Dhálaigh i gCill Rónáin, go dtabharfaí deochanna don chliar an lá sin agus go seolfaí an bille chuigesean. Sílim gur sheas an socrú sin chomh fada agus a mhair an Flathartach, mar a tugadh air in Árainn, ach níl de chuimhne agam air ach na fir bhreátha úd a fheiceáil ag siúl go státúil soir thar an teach.

"Má thagann Mac Phatch Sheáin ag an doras ar a bhealach anoir ní theastaíonn uaimse go ligfí isteach é," a deireadh Máirín s'againne.

Bhí cuimhne aici, agus agamsa freisin, ar oícheanta i dteach Chill Rónáin, nuair a bhíodh muide thuas sa leaba agus Mac Phatch thíos sa gcistin ag canadh amhrán. Bhí guth aige ba thréine ná trumpa an ardaingil lá an bhreithiúnais agus cé nach raibh díobháil thairis sin ann, b'ionann a theacht agus codladh na hoíche agus suaimhneas ár saoil a chur ó rath. Ní raibh an scéal baileach chomh dona i gCill Rónáin agus a bhí sa teach nua.

Sa teach thoir bhíomar ar imeall an bhaile agus ní bhíodh oiread sin fonn ar thaistealaithe súgacha dul ar a gcuairt chomh luath tar éis an t-ósta a fhágáil, mura raibh cúis nó leithscéal de chineál éigin acu. Ach tar éis míle bóthair a chur díobh, agus ceithre charcair a ardú, ba gheall le cuireadh chun scíthe solas an tí nua.

Ach faoi Nollaig go speisialta agus ag am ar bith eile sa mbliain ach oiread, mura n-éiríodh le m'athair an solas a mhúchadh chomh luath agus a chuala sé béic Mhac Phatch ar bharr

Charcair Ghanly, taobh thoir dínn ba mhinic a bhí Brídín Bhéasaigh á moladh go hard sa gcistin s'againne ag an haon agus ag an dó ar maidin. Ansin, nuair a bhíodh neart an óil scaipthe, na hamhráin uilig canta agus an tae ólta, thugadh na cuairteoirí faoin mbóthar fada, siar trí na bailte dorcha, abhaile.

Ba gheall le leagan ciorraithe den Nollaig, oíche agus lá Chinn Bhliana. Faoin am sin bhí na leabhair nua go léir léite agus na bréagáin ag cailliúint a nuaíochta. Bhíodh féasta oíche agus lae ann, coinnle sna fuinneoga agus thosaíodh mise ag cuimhneamh ar mo lá breithe ar an ochtú lá déag d'Eanáir agus céard d'iarrfainn lena aghaidh.

Ach bhí oíche Chinn an Dá Lá Dhéag speisialta, ní hamháin de bharr gurbh é deireadh na féile é agus go mbeimis ag filleadh ar an scoil ina dhiaidh, ach de bharr líon na soilse a bhíodh le feiceáil. Oíche ghlan, sin a raibh uainn. Mar ba é an nós dhá cheann déag de choinnle a bheith ar lasadh i ngach teach, ó théadh sé ó sholas go meánoíche. Dá mbeadh an oíche rófhuar le dul amach ag siúl, agus ba mhinic an aimsir briste go maith i dtús mhí Eanáir, bhí radharc maith ó fhuinneoga uachtaracha an tí. An codladh a dhíbríodh as fuinneog mo sheomra féin isteach sa leaba mé.

Bhí Nollaig eile caite ach bhí féile eile romhainn amach; bheadh an aimsir ag dul i bhfeabhas agus an lá ag dul i bhfad.

> Gach re lá ó mo lá-sa amach, a dúirt
> Naomh Bríd.
> Gach uile lá ó mo lá-sa amach, a dúirt
> Naomh Pádraig.

Bhí seanfhocal nó seanrá ann do gach ócáid agus ní thuigim cén chaoi ar fhanadar sa gcuimhne ar chor ar bith, mar ní mórán airde a thugamar orthu san am.

8
An Cogadh

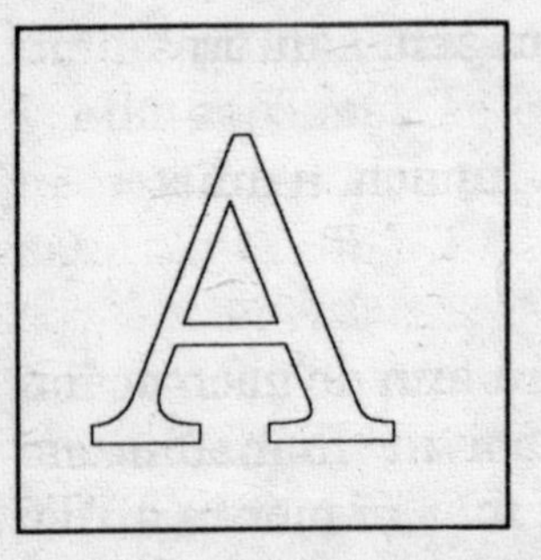

ch bhí cúrsaí an domhain ag athrú ar luas agus ba ghearr gur chuir an cogadh crúb inár saol agus i gceiliúradh na Nollag go speisialta. Ba é an chéad chomhartha a fuaireamar nár dhóigh go mbeadh sé thart go luath, ná mo mháthair a theacht ar ais ó chuairt ar Ghaillimh agus go leor tae ceannaithe aici. Bainisteoir tí Mhac Con Mara a chomhairligh di é a chur i dtaisce mar gur gearr go dtosódh ciondáil—focal nua sa gcaint nach raibh tuiscint againn air go dtí go raibh sé ina chuid laethúil dár saol. Ach bhí rudaí ba dhrámatúla go mór ná ciondáil ag tarlú in aice an tí s'againne. Go hard os cionn Eochalla, ag an bpointe is airde ar an oileán, tógadh teach solais a thosaigh ag scalladh sa bhliain 1818. Ní go maith a d'éirigh leis. De bharr é a bheith os cionn míle isteach ó aillte arda taobh theas an oileáin ní bhíodh feiceáil ar bith air ón bhfarraige le linn ceo nó ceobhráin; go speisialta dá seoladh báid róghar do na haillte céanna. Dúnadh tar éis beagán blianta é agus tugadh an trealamh chun siúil. Níor fhan beo sa seanchas féin, i dtaobh an túir bhreá cloiche ar an ard, ach an stail chumasach a thug an t-ábhar tógála suas an t-ard géar os cionn Dhún Eochalla.

Ba le muintir Yorke as Cathair na Gaillimhe é agus nuair a theastaíodh ó dhuine neart suntasach a chur in iúl deireadh sé, "Tá sé chomh láidir le stail Yorke."

Ach anois bhí Hitler ag soláthar léas nua saoil don fhoirgneamh. Ghlac an t-arm seilbh air. Cuireadh ceann nua air agus feistíodh staighre ann. Nuair a bhí sin déanta cuireadh díorma fear faire, a earcaíodh go háitiúil, i mbun dualgais ann—de ló agus d'oíche—agus teileascóp acu a bhí níos cumhachtaí arís ná ceann Robert Gill. Cuireadh líne teileafóin siar as Cill Rónáin go dtí é, sa gcaoi is go mbeadh ar chumas na bhfaireoirí scéal a chur chuig an ngarastún i nGaillimh; cé go ndúirt fear barrúil in Eochaill gur ar bord cois na leapa ina gcodlaíodh de Valera i mBaile Átha Cliath, a bhí an ceann eile de.

Nuair a bhí an obair sin críochnaithe,

thosaigh na fir oibre ag tógáil cineál claí aisteach i lár creagáin in aice an túir faire. Tar éis tamaill ba léir gur litreacha móra déanta de chlocha agus de mhoirtéal a bhí ann. Nuair a bhí siad críochnaithe cuireadh brat fial aoil orthu agus bhí neodracht an oileáin le léamh ón aer sa bhfocal ÉIRE. (Scríobhadh an focal ar dhá thaobh an Dún Aengus freisin, maille le cumraíocht an bhrait náisiúnta, ar fhaitíos go rachadh fomhuireán naimhdeach ar strae isteach sa chuan agus í a chur go tóin poill de thimpist).

Nuair a chuamar i dtaithí an gharastúin nua sa teach solais thosaigh na hinslímithe geala ar na pollaí teileagraif ag cur cathaithe orainn agus is baolach gur ghéill scata againn lá, gur chrústáil slam acu leis na clocha scaoilte a bhí chomh fairsing ar na bóithre san am. Ach ba ghairid go bhfuaireamar amach nach ar an bhfarraige inár dtimpeall amháin a bhíodh na gloiní fiosracha sa túr faire dírithe. Scól m'athair na basa againn le slat an lá dár gcionn. D'fhonn cosúlacht fabhair a sheachaint ba ghnách le m'athair cúpla leidhce farrasbarr a thabhairt dá mhac nuair a bheirtí air i mbun ábhailleachta. Is dóigh gur thuig sé gur fearr a d'fheil beagán mairtíreachta ná cosúlacht fabhair. Agus bhí an ceart aige freisin.

I ndiaidh na heachtra úd b'eadrainn féin, le gadhair fáin nó le díonta stáin, a chaithimís clocha agus sinn ag teacht ón scoil. Ba dheacair gan géilleadh do chathú na gcloch, cuma cé mhéad fainic a chuirtí orainn.

I dtús ama bhí an cogadh i bhfad uainn ach nuair a cuireadh an soitheach paisinéirí Meiriceánach "Athenia" go grinneall, siar ó Árainn, agus nuair a tugadh slua díobh siúd a tháinig slán isteach go Gaillimh, dhruid sé níos gaire dúinn go mór.

Chuala mé cuid d'eolaithe cogaíochta Chill Rónáin ag rá, le linn dom a bheith ag dul thar an "bparlaimint" a chruinníodh ag claí Joe Watty, gur fomhuireán Sasanach a chuir go tóin í d'fhonn Meiriceá a tharraingt isteach sa gcogadh. Bhí formhór na ndaoine ar son na Gearmáine, i dtús an chogaidh go háirithe. An fear as Baile na Creige a d'fhógraíodh isteach ar m'athair, le linn an chogaidh chathartha sa Spáinn, "Cén chaoi an bhfuil an fear s'againne ag déanamh, a mháistir?", bhí sé anois ag cur na ceiste céanna in athuair.

An Ginearál Franco, a bhí ag seasamh do Dhia sa Spáinn, a bhí i gceist aige cheana agus anois ba é Hitler—ar dheacair a rá gur do Dhia a bhí sé ag seasamh—a bhí i gceist aige.

Sa séipéal, tar éis Beannacht na Naomhshacraiminte, deireadh an sagart agus an pobal An Phaidir ar son na Síochána. Níl de chuimhne agam anois air ach cúpla focal Gaeilge a bhí ann nár chuala mé go dtí sin.

Earcaíodh Fórsa Cosanta Áitiúil ach chaill mé spéis ann tar éis na chéad pharáide, de bhrí nár tugadh gunnaí dá gcosantóirí. Mórán gach oíche ar an raidió bhíodh scéalta le cloisteáil i dtaobh ganntan earraí agus tuilleadh ciondála in Éirinn. Ansin fuaireamar na leabhair bheaga ina raibh cúpóin a chinntigh allúntas de na nithe a bhí ciondáilte dúinn: tae, siúcra, im, éadach agus bróga. Ach, de réir a chéile, ba mheasa a ghoill ganntan earraí nach raibh ciondáilte ach a bhí thar a bheith deacair a fháil, ar dhaoine. Ganntan tobac ba mhó a ghoill ar na fir ach bhí suaimhneas sa teach s'againne mar d'éirigh m'athair—a bhí trom go maith orthu—as toitíní go luath sa gcogadh. Ach bhí earra gann amháin a chuir isteach go mór ar ár mbunriachtanais sna hoileáin: an gual a thiomáineadh an "Dún Aengus."

Tamall sular ionsaigh an tSeapáin Pearl Harbour, tháinig soitheach paisinéirí chun na hEorpa lena raibh fágtha de shaoránaigh Seapánacha a thabhairt abhaile. Ar chúis éigin nach dtuigim ba i nGaillimh a phioc sí suas an chuid dheiridh díobh. Bhí sí gann i ngual agus dhíol an comhlacht a bhí i mbun an "Dún Aengus"—The Galway Bay Steamship Company—cuid den ghual a bhí ar stóras acu leis ns Seapánaigh. Níor maitheadh a bhféile dóibh in Árainn níos deireanaí, nuair a chuir drochghual isteach ar éifeacht na seirbhíse agus fad mór leis na huaireanta peannaide a chaitheadh paisinéirí a mbíodh tinneas farraige orthu ar bord.

Ar an raidió a bhíomar ag brath don nuacht te bruite, chomh maith leis na cláracha a ghiorraíodh oícheanta geimhridh agus tráthnóntaí samhraidh, nuair a chruinníodh daoine chun éisteacht le tráchtaireachtaí Mhichíl Uí Eithir ar chluichí. D'aon iarraidh amháin, fuaireamar amach go bhféadfadh ganntan nár chuimhníomar go dtí sin air, ball balbh ar fhalla na cistine a dhéanamh den raidió: easpa cadhnraí ardvoltais nach raibh déanamh á n-uireasa. Gheall Muintir Fhallúin i nGaillimh dúinn go n-oibreoidís córas ciondála dá gcuid féin i measc a gcustaiméirí, rud a rinneadar go cóir, ach thuigeamar nár mhór dúinne ár n-uaireanta éisteachta a chiondáil freisin mura dtagadh cabhair as ceard éigin.

In ainneoin an dainséir ón aer, ó na fomhuireáin agus ó na mianaigh farraige, choinnigh trálaeirí ó Swansea agus Milford Haven orthu ag iascach siar amach ón oileán. Ba ghainne go fada beatha sa mBreatain ná in Éirinn agus ba dhéine go mór ciondáil. Dá bhrí sin, ba riachtanaí ná riamh an barr a baineadh de gharraí an iascaire.

Thagaidís isteach i gcuan Chill Éinne ar foscadh ón drochaimsir agus théadh curachaí amach chucu leis na foirne a thabhairt i dtír ag ól. De réir mar a thosaigh an cogadh ag fáisceadh fúinn ba léir nárbh ionann go díreach na hearraí a bhí gann thall agus abhus agus ba mar sin a tharla go raibh cara maith i gCill Éinne, Brian Mac Giolla Phádraic, in ann na cadhnraí breise a fháil dúinn a chinntigh éisteacht raidió dúinn i rith na mblianta úd nuair ba mhó a bhíomar ina call.

Cheannaigh m'athair mapa cogaíochta na hEorpa agus na hAfraice Thuaidh i nGaillimh, maille leis na bratacha beaga ab fhéidir a fheistiú air le bioráin. Bhí sé ar fhalla na cistine, in aice an raidió, agus ba uaidh a d'fhoghlaim mise go leor de thíreolaíocht na mór-roinne. De réir mar a réab arm na Gearmáine tríd an Fhrainc, an Ollóin, an

Bheilg, an Danmhairg agus an Iorua—agus ina dhiaidh sin trí thuaisceart na hAfraice—chuireamar eolas ar bhailte, ar shléibhte agus ar aibhneacha nach raibh tábhacht dá laghad leo go dtí sin inár saol.

Nuair a thagadh na nuachtáin laethúla, tar éis dúinn tuairiscí raidió i dtaobh nithe a chloisteáil, dhéanadh na tuairiscí scríofa an t-eolas a athbheochan agus a iomlánú. De réir mar a chuaigh an chogaíocht i bhfad thosaigh méid na nuachtán ag laghdú, de bharr easpa nuachtpháipéir ón iasacht, agus chuaigh caighdeán an pháipéir féin i ndonacht. Ach ba bheag a chuir sin isteach ar an bpobal a bhí á léamh níos cíocraí ná riamh. Bhí cinsireacht ar chineálacha áirithe nuachta freisin agus b'aisteach an rud scéal aon abairte a léamh, a thugadh le fios gur gearradh pionós an bháis ar bhall den IRA de bharr coir éigin.

Bhí cinsireacht á dhéanamh ar litreacha freisin, ar fhaitíos go rachadh eolas amach a sháródh ár neodracht. Ina measc siúd a bhí ag scrúdú litreacha ar an gcuma sin bhí ár bhfile féin, Máirtín Ó Direáin as Eoghanacht, a bhí sa státseirbhís i mBaile Átha Cliath. Cuid den Nollaig ba ea Máirtín ach oiread lena chomrádaí, Pádraic Ó Coincheanainn, agus thugaidís scéalta chugainn i dtaobh nithe éagsúla nach mbíodh le léamh sna nuachtáin ná le cloisteáil ar an raidió.

Ní nach íonadh, chuir an cogadh isteach ar an Nollaig ar shlite éagsúla freisin. Bhí an tseirbhís as Gaillimh i bhfad níos moille ach, leis an gceart a dhéanamh, rinne an "Dún Aengus" thar cionn sna blianta úd. Ní híonadh go raibh oiread sin ceana ag an bpobal uirthi. Bhí an Galway Bay Steamship Company imithe den saol faoi seo. Thairg siad an tseirbhís don rialtas agus thug cúl leis an bhfarraige go deo. Rinne an rialtas a ndícheall agus cuireadh an "Dún Aengus" isteach leis an tseirbhís náisiúnta iarnróid. De bharr ganntan guail agus a dhonacht b'éigean a bheith níos cúramaí fós faoi sheoladh le linn drochaimsire, nuair nach mbeadh ar chumas na gcurachaí teacht amach chuici in Inis Oírr agus in Inis Meáin.

Dá bharr seo arís b'éigean earraí a ordú i bhfad roimh ré chun a chinntiú go mbeadh fáil orthu sula n-ídeofaí pé stoc a bhí ar an oileán. Istigh in oifig an phoist a bhí an t-aon teileafón poiblí a bhí ar an oileán san am agus ba mhinic siopadóirí istigh sa mbosca ag fógairt ar shiopadóirí i nGaillimh dul síos chuig an duga láithreach agus rud éigin a chur ar bord an "Dún Aengus."

9
Eachtraí an Chogaidh

a mhinic daoine ag clamhsán sna blianta úd agus ag milleánú an chogaidh i dtaobh ganntain agus cruatan saoil. Chomh minic céanna mheabhraíodh daoine eile dóibh gur cheart dóibh a bheith buíoch nach raibh Éire sa gcogadh—d'Éamon de Valera a thugtaí an chreidiúint de ghnáth—agus pléascáin ag titim ina gcith mharfach orainn mar a bhí ar Bhirmingham agus Londain agus Coventry. Bhí dóthain le n-ithe agus le n-ól againn agus nár bheag an bhrí easpa sólaistí. Ach bhíodh daoine clamhsánach i dtaobh rudaí éagsúla ina dhiaidh sin.

Ní hamháin go raibh tae gann, bhí deireadh curtha leis na brandaí éagsúla freisin agus gach uile chineál measctha trína chéile. Bhí an lá imithe go mbíodh an taephota suite ar an teallach ó mhaidin go hoíche agus muigíní de á ól pé uair a bhuaileadh an dúil daoine. Cócó a thugtaí do na páistí agus bhíodh fear ar an raidió ag tabhairt comhairle faoin gcaoi go bhféadfaí cineál éigin caife a dhéanamh as préamhacha caisearbháin. Bhain daoine triail as agus dúirt go mba gheall le nimh é. B'in an chéad uair a chuala mé trácht ar an margadh dubh, mar a raibh tae le fáil ar phunt an punt; suim uafásach mór, san am go bhféadfá lucht móna isteach as Conamara a cheannach ar thrí phunt.

Samhlaíodh uachais rúnda dom ina mbíodh fir ón iasacht ag tráchtáil sa meathdhorchadas agus thabharfainn cuid mhaith ar dheis a fháil an margadh dubh seo a fheiceáil. Ansin míníodh an téarma dom agus scaip an draíocht. Ní raibh ann, tar éis an tsaoil , ach siopadóirí santacha a bhí sásta allúntas an chuid ba bhoichte dá gcustaiméirí a dhíol ar an bpingin ab airde leo siúd go raibh slí mhaith fúthu. Ach ar tír mór, mar a mbíodh meitheal ag dul do mhóin agus d'fhéar agus níos mó dúil acu i dtae ná mar a bheadh go fiú i bpórtar, ba mhó a ghoill an easpa áirithe úd ar dhaoine.

Teacht na Nollag, ó 1940 go dtí gur shuaimhnigh an saol arís tar éis deireadh an chogaidh, is léire a tugadh faoi deara cé na sólaistí a bhí anois in easnamh sa gceiliúradh. Ba bheag ar fad na torthaí ón iasacht a bhí ar fáil. An cabhlach beag tráchtála a bunaíodh faoi dheifir, ní raibh sé ag iompar ach earraí riachtanacha agus de réir a chéile b'fhurasta prog na Nollag a iompar.

Ach ba é déantús an phlúir ba mhó a chuir isteach ar lucht déanta cácaí milse. De bharr ganntan cruithneachta ón iasacht cuireadh iallach ar fheirmeoirí cruithneacht a fhás go héigeantach rud nár thaitin ar chor ar bith le cuid de lucht ramhraithe na mbullán a bhí ag déanamh neart airgid as margadh na Breataine. B'fhearr le cuid acu fíneáil throm a íoc ná a ndualgas náisiúnta a dhéanamh. Bhítí á gcáineadh go géar in Árainn, áit ar shamhlaigh cruithneacht cineál coimhthíoch.

D'athraigh dath an phlúir, ó gheal go donn, mar nár meileadh go mion é agus níorbh fhéidir cácaí milse a dhéanamh leis. I gcruthúnas go múineann gá seift fritheadh úsáid nua do sheanstocaí síoda, ag scagadh an phlúir agus ag baint an bhran mhóir as. Tar éis go leor scagtha bheadh díol cáca de phlúr réasúnta geal agat agus coca beag de bhran mór. De bhrí go raibh stocaí síoda gann go leor freisin, bhíodh rachairt mhór orthu timpeall na Nollag. Go deimhin bhí stocaí faiseanta ban chomh gann sin agus gur cuireadh buidéil ar an margadh ina raibh lacht a phéinteáilti ar na cosa, mar ó dhea gur stocaí síoda a bhí á gcaitheamh acu. Ní go maith a d'fheil an cleas seo d'aeráid an oileáin. Chuireadh ráig amháin báistí deireadh tobann leis na stocaí saorga nó, ar an drochuair, lena bhformhór; slabar breac nár fhéach ar aon tslí galánta.

Tháinig cor eile i gcúrsaí an chogaidh (go hoifigiúil ní cogadh a tugadh ar an gcogadh in Éirinn ar chor ar bith ach éigeandáil) in Árainn tar éis don ionsaí ar Pearl Harbour Meiriceá a tharraingt isteach ann. Thug seo an cogadh i bhfad níos gaire dúinn. Bhí clann mhac imirceach ón oileán ag dul san arm; col ceathar liom féin, mac deirféara le mo mháthair, ina measc. Tholg seisean galar éigin sna hoileáin san Aigéan Ciúin agus cailleadh go hóg é. Bhí mac dearthár leis an Dochtúir Ó Briain as Cill Rónáin i gCabhlach Mheiriceá agus chinn air socrú síos ceart arís tar éis an chogaidh.

D'athraigh dearcadh daoine ar an gcogadh agus ar Hitler tar éis do Mheiriceá páirt a ghlacadh ann. Go dtí gur cuireadh na saighdiúirí Meiriceánacha chun na hEorpa tháinig briseadh sa gcumarsáid rialta idir an pobal anseo agus an mhuintir thall. Bhí deireadh curtha le himirce agus bhíodh moill mhór ar litreacha agus ar bheartáin. Ba mhó arís a bhíodh daoine ag tnúthán le scéala óna muintir faoi Nollaig agus súil acu nach é an drochscéal a bheadh ann. Ní raibh a fhios agam san am go raibh éinne as an oileán in arm Mheiriceá ach blianta ina dhiaidh sin tháinig fear abhaile as an tír sin ar pinsean agus thosaigh sé ag déanamh gaisce i dtaobh a éachta in aghaidh arm na Seapáine. Ar an drochuair tharla fear eolgaiseach as a bhaile féin sa gcomhluadar agus phléasc seisean amach ag gáire.

"Tá fhios agamsa cé hiad na Japs a chonaic tú, a dhiabhail. Fear nach ndearna aon cheo ach a bheith ag caitheamh le faoileáin timpeall an Panama Canal."

Níor labhair an seansaighdiúir as a bhéal ar an gcogadh ina dhiaidh sin mar b'fhíor dá chomharsa gur ag gárdáil Chanáil Phanama a chaith sé a sheal san arm. Chuireadh sé íontas orm i gcónaí cé mar a d'fhaigheadh daoine in Árainn eolas i dtaobh nithe a tharla chomh fada sin i gcéin. Níor mhaith an áit í le dul i mbun áibhéile ná cumadóireachta mar b'iondúil go mbeadh duine éigin sa gcomhluadar réitithe leis an mbolgóid gaisce a phléascadh le dairt shearbhasach éigin. An chuid ba mheasa den scéal ná go maireadh cuid de na dairteanna seo sa seanchas i bhfad tar éis do na pearsana a bhí i gceist a bheith faoin bhfód. Ach ní bhfuair an té ba chaolchúisí inár measc an leid ba lú i dtaobh champaí an uafáis san Eoraip, go dtí go raibh an cogadh thart.

Ba í an fharraige a thug creach na cogaíochta chugainn. Fiú in aimsir shíochána thagadh raic i dtír, go háirithe ar thaobh theas an oileáin. Adhmad agus rudaí eile a scuabtaí de bhlár loinge éigin le linn stoirme, ba mhó a thagadh isteach. Bhí fear ina chónaí in aice linn i gCill Rónáin a thaithíodh na haillte arda ar thaobh theas an oileáin go laethúil, tar éis stoirme. Ailleadóir ba ea Pádraic an Fhíodóra agus théadh sé síos ag tógáil creiche ina aonar, gan aige ach rópa agus a scil.

Lá dá rabhamar ag teacht amach ón scoil chualamar garda ag rá le m'athair nár fhill Pádraic ón aill an lá roimhe sin agus go raibh an tóir ar siúl. Fritheadh an rópa ceangailte gar d'áit ar a dtugtar Poll na Brioscarnach ach ní raibh aon tuairisc ar Phádraic. Níor fritheadh a chorp riamh. Daoine nár chleacht cóngar na farraige b'fhéidir go gceapfaidís gur chuma corp ann nó as nuair a bheadh fianaise shoiléir le fáil ar thubaist mharfach. Ní mar sin a bhí agus ní mar sin atá. Bíonn sé dian go leor ar ghaolta daoine a bháitear an bás tobann a fhulaingt gan an éiginnteacht a bhaineann le bás gan searmanas sochraide ná uaigh ar a dtig leacht a thógáil agus cuairt a thabhairt uirthi.

Bhí pisreoga ag daoine áirithe i dtaobh na gcúrsaí seo, mar a bhí i dtaobh go leor rudaí a bhain leis an bhfarraige, mar a fuaireas amach oíche tar éis bháthadh triúr fear i gcurach faoi aill in áit ar a dtugtar an Cró. Bhí slua beag ag fanacht ag séipéal Eochalla go dtabharfaí na coirp anuas ó bharr na haille i gcarranna capall. Ailleadóir as Baile na Creige, Seán Pól, a chuaigh síos ar rópa agus a thug aníos iad sular thit an oíche. Ní mórán cainte a bhí á dhéanamh. Bhí torann toll acastóirí na gcarranna le cloisteáil i gcéin agus iad ag déanamh orainn go mall trí na róidíní cúnga. Leanfadh muide soir go Cill Éinne iad mar a mbeidís á dtórramh sna tithe a d'fhágadar maidin an lae roimhe sin. Ansin labhair seanfhear giongach ar theastaigh uaidh sólás éigin a aimsiú i lár an dóláis.

"Mór is fiú gur fritheadh iad ar chuma ar bith, go ndéana Dia grásta orthu," a dúirt sé.

"Muise nach cuma do na créatúir anois é," a

d'fhreagair fear óg a bhí ar comhaois le duine den triúr.

"Ó, go deimhin ní cuma," arsa'n seanfhear. "Ar ndóigh mura gcuirfí sa talamh iad bheadh a n-anamnacha ag imeacht agus ag imeacht ar fán ar feadh na síoraíochta. Bheidís ag na daoine maithe."

"Muise scéal cam air agat," arsa'n fear óg go cantalach, "An bhfuil tú ag rá liom go gceadódh Dia é sin?"

"Ach céard d'fhéadfadh Sé a dhéanamh?" arsa'n seanfhear, gan cantal ar bith, agus níor labhair éinne ceann fada ina dhiaidh sin.

"Anois, cé a thabharfadh aird ar an seanphágánach siúd," a dúirt mo mháthair, nuair a d'inis mé an scéal sa mbaile ina dhiaidh sin. Bhí an ghráin ag mo mháthair ar phisreoga agus bhíodh sí go síoraí ag caitheamh anuas orthu sin a ghéill dóibh, d'fhonn sinne páistí a chur ar aireachas agus sinn a sheoladh ar shlí an réasúin. Ba mhaith liom a cheapadh gur éirigh léi freisin ach fanann an chaint úd chomh húr i mo chuimhne agus a shamhlaigh sí an oíche dhuairc úd ag séipéal Eochalla.

Tháinig coirp faoi thír le linn an chogaidh agus féachadh chuige gur cuireadh go simplí ach go caoithiúil iad. Bhí cuid acu i bhfad sa bhfarraige agus gan aon aithneachtáil orthu dá bharr. Choinnítí daoine óga i bhfad as láthair agus ba ghá sin a dhéanamh mar nach bhfuil léamh ná insint scéil ar fhiosracht gasúr; go háirithe ó bhailíonn siad naoi nó deich de bhlianta.

Maidin bhreá earraigh tháinig eitleán Sasanach isteach os cionn na haille ón Atlantach agus púir deataí as. Bhí sé ag cailliúint airde go tapaidh agus é ag déanamh ar Ghaillimh, mar ar thuairt sé sa bhfarraige amach ó Bhóthar na Trá. Dúirt duine éigin go bhfaca sé fear ag léim amach as an eitleán i bparaisiút ach ansin arís go bhféadfadh sé a bheith ag dul amú mar gur tharla sé de shiota, má tharla sé ar chor ar bith.

Níos deireanaí sa lá thug beirt fhear corp eitleora aníos sa líon ina raibh sé i bhfastó. Fear óg as Albain a bhí ann agus b'amhlaidh a chuaigh sé is bhfastó sa bparaisiút agus tachtadh é. Cuireadh i gcornéal thiar theas na reilige i gCnocán na mBan é os cionn trá Chill Mhuirbhí. Nuair a bhí an cogadh thart tháinig a thuismitheorí agus rún acu é a thabhairt ar ais go hAlbain leo. Ach nuair a chonaiceadar an reilig agus a timpeallacht agus an aire a tugadh don uaigh, shocraíodar leacht a chur air agus é a fhágáil i gCnocán na mBan.

Ach ba é an corp nár tháinig i dtír, ach a scuabadh soir thar an oileán ar rafta, an ceann ar a mbínn féin ag brionglóidí ar feadh na mblianta; go fiú tar éis dom an t-oileán a fhágáil le dul ar scoil.

Tuairim seachtain roimh Nollaig a tharla sé, maidin Shathairn agus mé ag dul siar go hEochaill ag iarraidh bainne. Bhí daoine cruinnithe ar an mbóthar ag breathnú ar an rud dubh seo ag teacht aniar le talamh. Bhí sé ina stoirm le laethanta roimhe agus farraige thíre ann a choinneodh an "Dún Aengus" as na hoileáin mar a raibh ag Dia. An Nollaig a bhí ag déanamh imní dúinne agus níorbh é an cogadh: a scéal féin scéal gach éinne, mar a deireadh mo sheanmháthair.

De réir mar a bhí an toirt ag gluaiseacht agus an ghaoth ag séideadh bhí seans ann go dtiocfadh sé faoi thír i bPort Eochalla nó sa Mainistir taobh thoir. Chuaigh scata againn síos go cladach, áit nárbh fhéidir an rafta—mar b'in a bhí ann—a fheiceáil ar chor ar bith mar go raibh sé íseal agus an fharraige thar a bheith oibrithe. Bhíomar soir, siar ag cuartú claí nó carraig óna mbeadh feiceáil níos fearr. Tar éis tamaill tháinig fear a raibh gloiní déshúileacha aige agus d'inis seisean dúinn go raibh corp fir ar an rafta agus, de réir mar a bhí sé in ann a dhéanamh amach bhí a riosta ceangailte den rafta le rópa.

Go tobann, nocht an rafta chugainn ar bharr toinne agus chonaiceamar go léir an fear ar feadh meandair sular scuabadh chun siúil as amharc arís é. Bhí sé chomh geal, tuartha leis an sneachta, lom nocht agus gar do shleas an rafta. Ní foláir nó d'athraigh gaoth nó taoille, nó an dá cheann in éindí, mar amach ón talamh a tugadh é agus soir. Laethanta ina dhiaidh sin, chualamar gur tháinig rafta faoi thír in aice leis an Trá Rua i gContae an Chláir ach ní raibh aon chorp air. Tamall ina dhiaidh sin arís chualamar gur tháinig corp fir faoi thír taobh istigh de Cheann Boirne ach ní raibh aon bhealach go bhféadfaí é a aithneachtáil, ná a dhéanamh amach arbh eisean an fear tuartha, geal a chonaiceamar ar feadh cúpla soicind i mbéal Phort Eochalla.

Ar chúis éigin nach bhfuil aon tuiscint air, d'fhan an radharc i m'intinn agus nochtaíodh an fear bocht chugam trí mo chuid codlata go minic. Bhíos cúramach gan aon leid a thabhairt do mo mhuintir i dtaobh na coda sin den scéal. Tugadh go leor de chead mo chinn dom, le linn na n-uaireanta a bhí tugtha suas do spraoi, agus ó fuaireas rothar bhí saoirse an oileáin agam. Saoirse a bhí ann nár theastaigh uaim a chailliúint agus choinnigh mé an tromluí leanúnach agam féin.

Tháinig rudaí aduaine i dtír sna blianta úd freisin. Ní foláir nó chuaigh go leor soitheach a bhí ag iompar rubair amh go tóin poill mar tháinig an t-uafás pacaí rubair ar na cladaigh agus na tránna. Chuntas comrádaí scoile liom os cionn leathchéad acu maidin a raibh sé thuas os cionn Pholl na Brioscarnach. Bhí an aimsir ródhona le go rachadh éinne síos agus go Contae an Chláir a tugadh iad.

Bhí an rubar ina stialla dlútha sna pacaí seo agus i dtús ama tosaíodh dá úsáid in áit craiceann beithígh le bróga úrleathair a dhéanamh. Ach ansin tosaíodh ag ceannach na bpacaí ar shuimeanna airgid, de réir meáchain, agus á gcur chuig monarcha ar tír mór. Tháinig na céadta pacaí cadáis isteach babhta eile ach ní raibh aon úsáid ann mar go raibh sé millte ag an bhfarraige. Bhíodh pacaí de caite gan aird sna cladaí agus gasúir ag spraoi leo.

Babhta eile tháinig mealltacha mór geire isteach agus ar dtús thosaigh daoine á húsáid chun tinte a fhadú nó chun spleodar a chur i móin fhliuch. Ansin d'aimsigh corrdhuine seanmhúnlaí a bhí caite i lotaí agus i sciobóil ón uair gur ghnách le daoine coinnle a dhéanamh. Chomh fada le mo chuimhne ba é an buaiceas an deacracht. Bhí an scil áirithe a bhain lena dhéanamh agus lena fheistiú dearmadta. Dhódh na coinnle ró-éasca nó níorbh fhéidir iad a choinneáil lasta ar chor ar bith.

Cé go raibh míle fainic curtha orainn gan drannadh le haon rud miotail a thiocfadh faoi thír, rinne slua maith dínn ceann ar aghaidh chuig an aill taobh thoir de Ghort na gCapall mar a raibh mianach tagtha faoi thír. Sheasamar ar bhruach na haille ag breathnú síos ar an toirt mheirgeach a bhí caite isteach ar chúl dhá mhullán istigh faoi bhun na haille. Bhí adharca beaga ar an gceann ba raimhre di agus an ceann eile breac le báirnigh. Bhí sí ite le meirg agus d'fhéach sí chomh neamhdhíobhálach le seanbhairille ola a d'fheicfeá caite i mbearna.

Tar éis tamaill tháinig fear óg i láthair nár fhéad gan é féin a chur in iúl os comhair na coda eile againn.

"Ara, níl díobháil ar bith sa gcanister sin," a dúirt sé, ag breith ar chloch agus ag scaoileadh faoi.

Ag an bpointe sin thosaigh mise ag cúlú agus shleamhnaigh liom go dtí go rabhas as amharc. Ansin rith mé chomh maith agus a bhí ar mo chumas. Chuala mé gur tháinig garda as Cill Rónáin i láthair scaitheamh tar éis dom imeacht, gur dhíbir an slua agus ina dhiadh sin bhí cosc ar dhaoine dul chuig bruach na haille. An lá dar gcionn tháinig beirt shaighdiúirí isteach i mbád as Conamara agus chuireadar an mianach in aer. An chéad uair eile gur fhilleas ar an áit ní raibh tuairisc ar na mulláin a bhí in aice an mhianaigh agus bhí éadan na haille féin réabtha. Ina dhiaidh sin tháinig an sáirsint chuig an scoil lá agus chuir fainic arís orainn i dtaobh nithe a d'fhéadfadh teacht faoi thír agus a d'fhéachfadh neamhdhíobhálach. Ach chomh fada agus a bhain liomsa bhí mo cheacht foghlamtha agam cheana féin.

10

Ag Dul Sna Fir

a mbliain 1943, le linn don chogadh a bheith ag dul in aghaidh na Gearmáine agus na Seapáine, thosaigh mise ag réiteach do chúrsa a scarfadh le saol an oileáin mé. De bhrí nach raibh aon mheánscoil in Inis Mór san am, ba chuid riachtanach de shaol duine ar bith a bhí le hoideachas dara leibhéal a fháil an turas go tír mór.

Réitigh m'athair scata againn faoi chóir scrúdú na Cásca, a bhíodh ar siúl in ionaid éagsúla ar fud na tíre an tráth sin bliana. An té a dhéanfadh go maith bheadh áit le fáil aige nó aici i gceann de na Coláistí Ullmhúcháin, a bhíodh ag réiteach scoláirí do na Coláistí Oiliúna múinteoireachta san am. Ina cheann sin bhí scoláireachtaí chuig gnáth-mheánscoileanna le fáil de bharr an scrúdaithe freisin.

Chomh fada le mo chuimhne d'oibríomar réasúnta crua agus thugamar aghaidh ar Ghaillimh agus ar an ionad scrúdaithe go misniúil. Ach nuair a tháinig na torthaí thosaigh mise go háirithe ag fáil tuisceana nua ar an saol. Ní hamháin gur theip mé san ábhar ina rabhas lag—uimhríocht—ach theip mé sa nGaeilge agus sa triail lámhscríbhneoireachta freisin. Ní raibh de leithscéal bacach agam ach go mb'fhéidir go raibh baint éigin ag an dá rud úd lena chéile agus nach raibh ar chumas an scrúdaitheora mo chuid scríbhneoireachta a léamh.

Dá dteipeadh ar an iomlán againn ní bheadh an scéal baileach chomh dona, b'fhacthas dom, ach d'éirigh leis an duine ab óige dínn scoláireacht chuig Coláiste Mhuire i nGaillimh a fháil. Mar a deirtear, b'in í an iarraidh an mharaigh an mhuic. Teacht an fhómhair, chuaigh Pádraic Seosamh Ó Goill go Coláiste Mhuire agus chuir mise isteach an chéad bhliain leanúnach staidéir i mo shaol go dtí sin. Má bhí mise ar buile liom féin, leis an saol agus le Pádraic Ó Goill go háirithe, measadh coitianta go raibh údar náire agam i mo phearsa mar scoláire go raibh seirbhís múinteoireachta le fáil aige sa mbaile chomh maith leis an scoil.

D'fhonn a chinntiú go gcaithfinn luí isteach go leanúnach ar an obair cláraíodh i gcúrsa le coláiste comhfhreagrais Kilroy i mBaile Átha Cliath mé. Chuireadar seo páipéirí scrúdaithe chuig duine agus cheartaíodar na freagraí. Tá cuimhne mhaith agam ar na bileoga beaga dearga ar a mbíodh an marc a tugadh dom agus tuairimí an scrúdaitheora breactha. Déanta na fírinne, ní mórán cuimhne atá agam ar aon cheo eile seachas obair, an fómhar agus an geimhreadh áirithe úd. Mhúch scáil an scrúdaithe go fiú an Nollaig féin, cé gur dóigh go raibh sí ar nós gach uile Nollag eile.

Tá cuimhne agam ar a bheith ag staidéar agus ag cur mo chuid bréagpháipéirí scrúdaithe chun bealaigh. Uaireanta bhínn chomh drogallach agus gurbh fhearr liom uaireanta nach seolfadh an "Dún Aengus" ar chor ar bith nó go rachadh mo chuid páipéirí ceartaithe ar strae; rud a tharla aon uair amháin nuair a fuair mise páipéirí le buachaill as Ros Comáin a bhí ag réiteach do scrúdú iontrála don bhanc. B'údar beag sásaimh dom gur mheasa go mór a chuid scríbhneoireachta ná mo chuid féin.

Chuir an staidéar isteach ar phatrún mo shaoil agus ar shaol an tí féin, ar mhórán slite beaga. De bharr ganntan ola móire don lampa is sa gcistin a dhéanainn m'obair bhaile san oíche. Lena linn sin bhí ar an gcuid eile den líon tí a bheith ciúin agaus ní chuirtí an raidió ar siúl go mbínn réidh. Ar an Satharn agus an Domhnach a bhínn ag dul do mo scrúduithe bréige, rud a d'fhág cúrsaí spraoi agus spóirt—agus go fiú cúrsaí an chogaidh féin—in áit na leithphingine.

Ach de réir a chéile fuaireas amach go raibh slí éalaithe amháin ón smachtbhéas míthaitneamhach seo: mo chuid oibre a dhéanamh chomh maith agus chomh tapaidh agus a bhí ar mo chumas. Ba bheag nach raibh an scrúdú i mo mhullach nuair a theagmhaigh sciathán an Spioraid Naoimh liom ar an gcuma shimplí seo ach is cuimhin liom gur thugas faoin scrúdú in athuair gan mórán scátha.

Bhí droim Hitler le falla anois ach ba mheasa ná riamh gad na ciondála agus an ghanntain. Níor tháinig druid ar an mbean lóistín lenar fhanamar i nGaillimh ach ag canrán faoi ghanntan tae, siúcra, ime agus móran chuile rud eile. Théinn chuig na pictiúirí gach tráthnóna, tar éis an dara scrúdú agus measaim gur le linn na seachtaine úd a céad mhúsclaíodh mo dhúil i scannáin.

Ocht n-uaire an chloig a chaitheamar ar an "Dún Aengus" le linn an turais abhaile. Chuala mé duine den fhoireann ag rá nach raibh cuma ná caoi ar an ngual Éireannach a bhí Mike Geary bocht ag iarraidh a dhó leis an ngal riachtanach a chur ar fáil do na hinnill. Ag dul thar Cheann Boirne dúinn thosaigh sí ag únfairt, ag rabhláil agus ag díoscán ar nós bó a mbeadh na scoilteacha uirthi.

Ní thagadh aon tinneas farraige orm féin ach chuireadh osnaíl na n-othar sna cábáin isteach orm agus b'fhearr liom faoin aer; ag tógáil marcanna ar an talamh agus ag iarraidh an luas a bhí fúinn a mheas. Bhí mé suite de gur i ndiadh a cúil a bhí sí ag gluaiseacht in amannaí an lá úd. Ach nuair a shroich duine na hoileáin bhí neart rí-rá, idir lucht na gcurachaí agus foireann an bháid, le caitheamh aimsire a chur ar fáil.

Tar éis na Cásca bhí mé in ann filleadh ar mo shean-nósanna ach anois agus arís bhaintí stad asam nuair a ritheadh smaoineamh uafásach liom: céard a dhéanfainn ar chor ar bith dá gclisfeadh arís orm? Ní raibh le déanamh leis an smaoineamh sin ach é a dhíbirt. B'in í an bhliain gur aistríomar ón seanscoil, thíos in aice na trá, go dtí an scoil nua a bhí san áit ar a dtugtaí Cuid an

Mhinistéara, cé go raibh an ministéir Protastúnach deireanach bailithe leis as an oileán agus an séiplíneach Caitliceach i seilbh a thí.

Bhí daonra an oileáin ag titim agus a rian sin ar an scoil nua. Bhí ceathrar múinteorí sa seanscoil nuair a thosaigh mise ag dul inti ar dtús. Ní raibh sa scoil nua ach triúr agus ba ghearr nach mbeadh inti ach beirt; m'athair agus mo mháthair. Ach ghiorraigh an t-aistriú an aimsir domsa, mar ba bheag eile a bhí le déanamh againn seachas a bheith ag feitheamh le toradh an scrúdaithe. Níor leor ach oiread pas a fháil ann. Mura mbeadh na marcanna sách ard ní móide go mbeadh áit sa gColáiste Ullmhúcháin le fáil ag duine. Chonaic mé bileoga eolais ó roinnt coláistí eile ag teacht sa bpost i dtús na bliana ach níor thugas mórán airde orthu. Seachas rud ar bith eile thuigeas gurbh í an Ghaeilge teanga na gColáistí Ullmhúcháin agus cé go raibh neart Béarla agam b'fhearr liom cloí leis an nGaeilge. Ina cheann sin b'as an nGaeltacht a thagadh tuairim leath na ndaltaí sna coláistí seo agus dá bharr sin b'fhacthas dom go n-aireoinn beagnach ag baile ina measc.

Chuas síos chuig teach an phoist leis na litreacha a fháil lá agus bhí an litir oifigiúil ina measc. Níor lig an faitíos dom í a oscailt ach lasc mé siar abhaile agus shín chuig m'athair í. D'aithin mé ar a aghaidh láithreach go raibh liom agus bhí an ceart agam. Bhí an scrúdú agus áit i gColáiste Éinne i nGaillimh faighte agam. Chuaigh mé go Contae an Chláir ar saoire chuig mo sheanmháthair agus an-fháilte agam romham féin.

Ach chuir an cogadh cor sa scéal seo freisin. Bhí ospidéal míleata ag teastáil ó Cheannasaíocht an Iarthair agus bhí seilbh glactha acu ar Choláiste Éinne. Tháinig litir a thug le fios gur i gColáiste Oiliúna Naomh Pádraig i nDroim Chonrach a bheimis ach go mbeadh moill ar thús an téarma. Bhí mo chás pacáilte ó thús Mhéan Fómhair ach scéal ná duan níor tháinig go deireadh na míosa. Bhí mise faoin am sin chomh giongach le mionnán gabhair le túthán cur chun bóthair.

Gan choinne ar bith, tháinig m'athair aníos faoi dheirfir ón scoil lá ar a rothar agus d'fhógair orm a bheith ag baint as. Tháinig screangscéal ag ordú dom dul go Baile Átha Cliath láithreach agus bhí na Brianaigh, a thugadh móin isteach go hÁrainn as Cé an tSrutháin, ag réiteach chun imeachta gan mhoill. Ar éigean a bhí deis agam slán a fhágáil ag daoine agus mar sin ab fhearr é.

Sa Sruthán a d'fhanamar an oíche sin agus fuaireamar an bus go Gaillimh agus ceann eile go Baile Átha Cliath, áit a scroicheamar tráthnóna.

Bhí m'athair chomh ríméadach liom féin mar ba i gColáiste Phádraig a oileadh é féin agus an chéad mhaith a rinne sé ná an cillín suainlios inar chodail sé féin, i 1921-22, a thaispeáint dom féin agus don sagart a d'fháiltigh romhainn, an tAthair Pádraic Ó Laoi. Maidin lá arna mhárach d'fhill sé abhaile agus seacht bhfainic curtha aige orm scríobh chuige agus mo mháthair gach uile sheachtain gan teip.

Chomh fada agus a bhain liomsa ba chathair mar a tuairisc Baile Átha Cliath agus b'fhearr arís ná a thuairisc Coláiste Éinne. Níor thuigeas cén fáth go mbíodh féilirí beaga feistithe taobh istigh dá gcrinlíní sa halla staidéir, ag na buachaillí sinsearacha, ar a scuchaidís amach na laethanta a bhí idir iad agus saoire na Nollag. Ach nuair a chuamar chuig scannán i lár na cathrach, ar an ochtú lá de mhí na Nollag, tháinig fonn orm féin a bheith thiar arís faoi chomhair na Nollag.

An rud is mó a fhanann i mo chuimhne i dtaobh an turais abhaile ná an faitíos a bhí orm ar an traein, go mbeinn sa bpáirt de a scar le traein na Gaillimhe in Átha Luain agus a chuaigh go Cathair na Mart, agus an scáth a bhí orm nuair a chuaigh mé ar an leaba san óstán i nGaillimh nach ndúiseofaí in am mé agus go gcaillfinn an bád. B'in an tubaiste ba mheasa, mar cé gur sheol bád eile Oíche Nollag ní raibh barántas ar bith ann nach mbrisfeadh an aimsir.

Triúr againn a bhí sa seomra; mé féin, bráthair agus coiméadaí tí solais a bhí ar a bhealach go Ciarraí leis an Nollaig a chaitheamh lena mhuintir. Protastúnach a bhí ann agus bhí éirithe idir é agus cailín a theastaigh uaidh a phósadh, i dtaobh cúrsaí creidimh. Bhí buidéal fuisce aige agus thosaigh sé féin agus an bráthair á ól agus ag argóint faoi chreideamh. Choinníodar orthu go raibh an buidéal folamh agus bhí sé an trí sular thosaíodar ag srannadh. Ní raibh le déanamh agamsa ach fanacht i mo dhúiseacht mar bhí an bád ag seoladh ag an seacht. Rinne mé é sin trí uisce fuar a chur ar m'aghaidh nuair a d'airínn néall ag teacht orm. Tuairim an sé a' chlog d'éirigh mé, chroch liom mo mhála agus rinne ar an duga.

Bhí an "Dún Aengus" ansin romham agus solas buí le feiceáil i bhfuinneoga an chábáin. D'airigh mé daoine ag sioscadh i nGaeilge agus iad ag déanamh ar an mbád i ndorchadas na maidne agus bhí sluasaid Mhike Geary le cloisteáil ag scríobadh thíos ag an bhfoirnéis.

Chruinnigh na scoláirí meánscoile sa gcábán agus chaith formhór an aistir ag cur síos ar an mbia sna coláistí éagsúla ina rabhamar; cineál comórtais gorta a bhí coitianta sna blianta úd. Agus nuair a shroich mé baile ba é an chéad rud a thugas faoi deara ná chomh beag agus a shamhlaigh an teach i gcomparáid leis an gcoláiste. Agus tar éis beagán laethanta ag cur síos ar mo shaol nua thosaigh mé ag cuimhniú ar a bheith ag imeacht arís agus ar na rudaí a bhí beartaithe don dara téarma.

B'fhacthas dom gurbh álainn an rud airgead a bheith agat agus a bheith ag taisteal ar bhusanna agus ar thraenacha (ní foláir nó bhí sceoin Átha Luain curtha díom), ag cur fút in óstáin agus ag éisteacht le comhráití barrúla (bhí sceoin an óstáin bailithe freisin), ag dul chuig na pictiúirí agus chuig Páirc an Chrócaigh ... b'in an saol. Agus cé nár thuig mé san am céard a bhí ag titim amach dom, tuigim anois go raibh fonn orm a bheith sna fir, mar a deireadh muid, agus nach mbeadh an Nollaig thiar go deo arís mar a bhíodh.

(Críoch)